目次

まえがき

あの人はゴム人間にすり替えられている、ワクチン接種者から毒素が出ている、ディープ・ステートの背後にトカゲ型宇宙人……。どう考えてもデタラメな話がネットに出回り、それを本当のこととして信じてる人たちがいるのが実感されるような昨今。

私が10代～20代を過ごした80年代から90年代後半にも奇妙な陰謀論・オカルトめいた陰謀論を信じる人たちがいたわけですが、はなから相手にしない人がいる一方、変な人たちとしてネタとして面白がるみたいな風潮もあって、まともに相手にする必要がない人たち、基本的には無害な人たちとして扱われていたと思います。

その最たる例がオウム真理教であり、彼らの間抜けに見えるビジュアルや言語センス、制作している奇妙なアニメや楽曲をネタとして面白がる人たちが相当数いたわけです。しかし、そんな中で起きたのが地下鉄サリン事件です。

旧・統一協会の原理研究会を隠れ蓑にした大学キャンパスでの勧誘、霊感商法や多額の献金の被害が可視化され、問題になっていった時代でもあります。

いくつかの事件を通して、宗教がらみの問題は認識されるようになったわけですが、被害当事者や真摯に彼らと戦っていた人たち以外は、おかしな人たちがおかしなことをやるから気をつけようというような認識でしかなかったと思います。しかし、それでよかったのでしょうか？

国際ユダヤ金融資本の陰謀を言い立てる人もいましたし、宇宙人などがそういったものに関わっているということを言う人たちもいましたが、それが現実の社会に大きな影響を与えることは想定されてなくて、そういう人たちは単に愚か者であるという扱いでしたし、それを積極的にバカにして笑い飛ばしていこうということをやっていたのが「と学会」だったと思います。今改めて思うと、その相手をバカにするようなやり方は、あくまで相手をとるに足らないものと見なして玩具にしていただけで、好事家の遊び以上のものはなかったように思えます。

あれから年月が過ぎ、新興宗教の危険性は忘れられ、また、新型コロナ禍の中で、多くの人が相手にしていなかった陰謀論は実際に世の中に影響を与えるようになっています。

陰謀論とまではいかないものも、自分の中の「真実」を信じるあまり、それに反する事実が何度提示されようとも、手をかえ品をかえ「真実」を守ろうとする人たちもＳＮＳを中心に可視化されている時代でもあります。

この本はそんな中で、そういったものと距離をとるために私がどう考えているのかを書いたり、それを仕掛ける人や信じてしまう人たちはどういう人たちなのかを考察しようという本です。

真偽不明な情報を恣意的に自分の都合のよいように解釈して事実であるかのように振る舞う行為。芸能界・著名人に関する奇妙な「真実」の探求。そういったものが構造的には陰謀論とさして変わらないものであったり、本格的に陰謀論に繋がりかねないものであることも感じており、そういった問題にもふれています。

嘘のような本当の話がやっぱり嘘だったり、嘘だと思っていた話が本当であったり、混迷を極める現在の状況の中で困惑している私のような人に読んでいただけると幸いです。

第一章　安倍晋三と山上徹也

安倍元首相が撃たれた！

２０２２年７月８日、奈良県で参議院議員選挙の応援演説中に安倍晋三元首相が銃撃を受け、命を落とすという事件が起こりました。首相経験者が銃撃を受けて命を落とすなど、第二次世界大戦後に初めてのケースであり、社会に大きな動揺が走ります。

私も仕事の昼休みにネットでも見ようと思い携帯をつなげた途端に安倍元首相に対する銃撃を知り、あまりの想定外の出来事に非常に混乱したことを思い出します。同時に、ＳＮＳでデマが飛び交い、陰謀論めいたものがはびこる事態になるのではないかと思ったのを覚えています。

在任中、安倍氏は評価が非常に分かれる総理でした。その功罪、評価について、ここで触れることは本書のテーマとは違うので特におこないません。一部の安倍批判派の攻撃的な表現は日本では一般的に受けが悪いところがあり、あまり支持されない傾向があります。また、そういった発言をさらに拡大解釈して批判したり、わずかな人間しか言っていないような暴言を安倍批判派全体が言っているかのようにして批判するような傾向はＳＮＳ上の支持派や保守層にはありました。特に、いわゆるネトウヨ層においては完全に左翼・リベラル層は全員が「安倍死ね」と言っているかのようになっています。

批判派の中にも暴言レベルのことを言ったり、無検証にデマを広めたりする人もいるのも確かですが、それを批判する擁護派の人たちの中にも反対陣営に関しては慇懃な口調で暴言を吐いていたり、無検証にデマをばらまいてたりする人がいることも珍しくはありません。

SNS上では対立する界隈は互いに仲間内でのエコーチェンバーにより先鋭化し、反対陣営に属する異常な個人の言動を反対陣営全体の特性のように扱うことがすすみ、対話不能の泥試合のように成りがちなんですが、安倍氏をめぐる言論も御多分にもれず、そういう感じになっていました。

報道直後から、SNS上では犯人の素性・犯行の動機が判明する前から様々な発言が飛び交っていました。

まず、政治的な左右問わずに目立ったのが「民主主義に対する挑戦」「暴力で言論を封じるようなことを許してはいけない」といったもの。

一見、もっともなことを言っているように見えます。しかし、これらの発言が見られだしたのは犯人の素性も動機もわからない時点なんです。これらの発言内容が何を意味しているかを考えると、政治犯による暗殺は民主主義に対する挑戦であり許してはいけないということですよね。まだ、政治犯かどうかもわかっていないのに。

安倍氏や自民党の政策や言動を巡る政治的な対立が存在しており、参議院議員選挙の最中ということもあって議論や泥試合も盛り上がっていたわけで、ついつい原因をそこに求めてしまったのは仕方がないかもしれませんが、何もわからないうちから先走りなんですよ。結果として、この事件は暴力で言論を封殺することを目的とした事件ではなかったわけです。

大方の見方としては左派テロリストによる暗殺といったものだったのでしょうが、それ以外の犯人像も想定されるわけです。安倍氏と過去にトラブルのあった反社会勢力。個人的な怨恨。通り魔的な犯行。極右レイシストの中には安倍氏を韓国側に通じているという見解を示しているところもあり、そちらからの犯行だって考えられます。日本の大きな要人テロ・言論テロは今まで右翼によ

生きていた頃の安倍元首相。

っておこされているわけですし。

ネット普及以前は事件があって個人が何か感想を抱いても広く世の中に発信する手段がなかったわけですが、今は思いついたらすぐに発信できるわけで。なんでしょう、思いついたものをすぐに垂れ流してもいいわけじゃないのです。

落合陽一の見切り発車

左派の犯行・左派の影響による犯行というのを前提に、評論家の落合陽一氏・実業家の堀江貴文氏といった著名人をはじめ、左派に対する批判がＴｗｉｔｔｅｒ上で目立つ事態になります。

堀江氏の「反省すべきはネット上に無数にいたアベカー達だよな。そいつらに犯人は洗脳されてたようなもんだ」という発言は当時の左派批判の典型ですね。アベカーになってるのは元ツイートのままです。

落合氏の「事件は凄惨だし個人に呪詛や暴言ばかりをつぶやいてたアカウントは急に善人ぶるし、よく回って返る手のひらだなぁ。本当の悪は自覚なく集団の側で善人ぶる大多数。一瞬でも微かでも当事者の背中を押したかもしれないことに罪悪感を抱えて生きてけばいいのに。メディアが悪い？いい加減にしろよ。悲しい」
「政府で働く人の悪口をみんなで言うと、その悪口を聞いた誰かが、日本を良くしようと思って銃でその人を撃ったりするんだよ。その人が撃たれた後にみんな暴力はいけない断固として許せないって言うんだよ。言葉の使い方は気をつけようね、みんなの悪意の責任はみんなで取ろうね、メディアも個人も」

といったツイートは、多くの支持を得ると同時に、堀江氏以上に激しい批判を浴びました。このツイートは安倍氏への批判全てが悪口であるかのようにミスリードするもの、政権に対する批判を封じ込めようとするものであるように受け取られたからです。実際、この発言は批判＝悪口ととるような層、左派・リベラル層全般が安倍氏の誹謗中傷を言ってきたと考えている層に支持されていたわけで、落合氏もそういう考え方だろうと判断されたわけです。

落合氏は悪口に対して批判したのであって、批判を否定したわけではないという内容の弁明をするわけですが、それはあまり受け入れられた感はありません。そもそも、落合氏がツイートであげているような例に当てはまるのが誰なのかわからず、具体性に乏しいものです。

落合氏は実際に安倍氏と交流もあり、ショックのあまり感情的になって書いたのだと思いますが、雑すぎだったと思います。

このように、安倍氏狙撃犯は左派テロリスト、もしくは左派の安倍氏への「安倍死ね」といった誹謗中傷に影響された人間の仕業であるかのような言説が広がっていました。

そういえば「安倍死ね」というような発言はゼロだったとは思いませんが、Twitter言論でもデモのコールでも主流であったということもないし、実際に確認されたことがどれだけあるのか実態がわからない限定されたものです。どちらかというと、右派・反左派・反リベラル・ネトウヨといった人たちに左派・リベラルがこう言ってたとツイートされることが多かった言葉であり、それによって実際に左派・リベラルの多くがそのように言っているというイメージが形成されたわけで、実体がどれだけあったのかもわかりません。

翌日には犯人である山上徹也容疑者の動機として「宗教団体関係者を狙っていた」という情報が出てくることになり、徐々に左派が原因であるという言説は消えていくことになります。

陰謀論が数々噴出

そういった陰謀論一歩手前の政治的な言説が飛び交う一方で、純粋なというのも変だとは思うのですが、もとからの「陰謀論」界隈も独自の盛り上がりを見せていました。

動画で血が出ていないのは不自然。銃創が不自然。散弾なのに他にあたってないのは不自然。クライシスアクターがいたからヤラセである。

血とか銃創に関しては単なる素人考えであり、彼らに専門家以上の見識があるとは思えません。

クライシスアクターというのは、本来は警察署や消防署の訓練の際に被害者・被災者役を演じる人を指すのですが、ここで言われているのは有名な陰謀論者ベンジャミン・フルフォード氏が主張していることでお馴染みの陰謀論に関する話です。

「世界で起きてる事件・事故の多くはヤラセであり、その証拠に同じ人物が不自然に様々な事件・事故現場で確認され、その人物は雇われた役者である」という陰謀論であり、そのような人物をクライシスアクターとよんでいるわけです。

ようするに、事故や事件の画像や動画から似ている人を見つけては同一人物判定をしているだけなんですが、今回もそういう人を見つけて勝手に騒いでるということですね。

安倍氏生存説も流れ、その中には影武者が殺されたとして、べつの日の画像と「耳の形」を比較して別人である根拠としていたものもあります。実際に見比べてもよくわかりません。

安倍氏のズボンの後ろ前が逆であり、転覆の始まりのメッセージという話もでていますが、そもそもあげられている画像も後ろ前逆には見えないです。この後ろ前逆のズボン、岸田文雄総理、菅義偉前総理といった人の写真をあげて同じようなことを言っているのも見ましたが、どう見てもチャック部分のあわせの写りがはっきりしてないだけです。

クライシスアクターの例。上と下は同一人物。

ホワイトハットというのはディープ・ステートと戦っている善玉の人たちを指すみたいなんですけど、現場写真に白い帽子の人が映り込んでいたことで何らかの意味を見いだしてたり。

まあ、こういうことを本気で発信している人はまだいいのです。問題はそういう本気の人や精神的なバランスが崩れて弱っている人から金を集めるために、わざわざ証拠を捏造してまで陰謀論に誘導しているような人間で、これは本当に悪質だと思いますよ。ある意味、本気の人は被害者の側面もあるのですが、わざとビジネスでやっている人は完全に加害者でしかないと思っています。

今回も有名な陰謀論ＹｏｕＴｕｂｅｒのジョウスター氏が７月８日に「２日前にニュースが出てますおかしい（原文ママ）」と２日前のＹａｈｏｏ！ニュースに安倍元首相銃撃の件があがっていたように見えるスクショ画像付きでＴｗｉｔｔｅｒで発言していたんですが、どう考えても画像を加工してるだけなんですよ。でも、リプ欄や引用リツイートを見ると本気で信じた人が本当に大勢います。普通はそんな話は信じないわけですが、既にＱアノン的な世界観を信じ込んでいる人相手だと爆釣状態です。

ジョウスター氏は神真都Ｑの主張する陰謀論に大きな影響を与えたというか、元ネタになっている人物です。この事件に限らず、こういうことを繰り返しており、なんというか何らかの刑事的な責任を問えないものかと思ってしまいます。

山上徹也の軌跡

安倍氏殺害の容疑者・山上徹也。本人の供述によれば、安部氏と世界平和統一家庭連合（旧・統一協会）との密接な関係が犯行の動機だといいます。母が統一協会に入信し、多額の献金を繰り返した結果、家族が崩壊。その恨みを統一協会と関係のある安倍氏に向けたというもの。

それにより、ネット上の話題の主流は、右派による「リベラル・左派による安倍氏への暴言が犯行を誘発した」という論調から、「安倍氏や自民党とカルト宗教・統一協会の密接な結びつき」に関する話題に移ります。

当初、宗教団体名が報道で明かされなかったことから、マスコミが隠ぺいしているというような説も出回りましたが、単に情報の裏取りが終わるまで慎重に動いていただけの話です。普通に考えればわかることだと思います。権力とマスコミの癒着という問題に対して、思い込みが強すぎるがゆえに出てきた考えでしょう。

山上容疑者が元・自衛官であることが報道されたことに対しても批判がありました。自衛隊にいたのは僅か3年であり、退職したのは05年。その程度の関係性なのにわざわざ報道するのは自衛隊を貶めようとする意図があるという考えです。しかし、これは単に奈良県警からの発表を報道しているだけでしょうし、職歴を報道するのは普通にあることです。マスコミは反日勢力に支配されているという思い込みでしかないでしょう。

そういえば、山上容疑者が統一協会から派生した対立関係にある団体に所属しているという噂も流れましたね。個人的な犯行ではなく、対立する団体間の抗争ではないかということも囁かれました。分派の中でも、統一協会の教祖・文鮮明氏の七男である文亨進氏が設立したサンクチュアリ教会は銃賛美で知られ、山上容疑者が犯行に銃を使ったことから、彼がサンクチュアリ教会の信者であるといった情報も飛び交いました。

22年7月末の段階で、サンクチュアリ教会を含めて、彼がどこかの団体に属していた証拠は出てこず、陰謀論を面白がるタイプの人が喜びそうな話でしたが、デマであったようです。

当初、山上容疑者が在日朝鮮人であるというようなデマを飛ばすレイシストがSNS上で活発に発言していたのですが、これに対する牽制として元・自衛官であるという報道が早めに出されたという説もネット上で見られました。自衛官は日本国籍の人間しかなれないからです。これも真偽不明の話です。

なんであれ、そういったレイシストが大きな事件・事故・災害の時には必ずデマを飛ばすので、最初に事件が報道された直後からそれを危惧する声がありましたが、案の定、そういうデマが流れたのです。

また、彼の供述は不自然であり、本当の動機を隠しているのではという説もありました。確かに、必ずしも犯罪者が取り調べで真実を告白するわけではありません。そういう可能性は山上容疑者にもあります。

しかし、動機が不自然かというと別に不自然だとは言えません。自分の家族を崩壊させ、自分の人生を台無しにした団体に対して、本来厳しく取り締まるべき立場にある政治家が密接な関係を持ち便宜を図っているように彼が感じていたならば、彼が安倍氏を憎むことに関しては不思議ではありません。

それで殺害にまで至るのは普通ではないと思いますが、どういう動機であれ計画的に殺人に至るのは普通ではないことです。対象に対する憎しみの深さは人によって違うわけですから、そういう理由で殺人を犯す人がいても不自然ではないわけです。ことさらに不自然だとみなすのは、自分が見たいものしか見たくないが故に、そうでないものが出てきたことに対して、否定したいという気持ちが働いての考察のように思えます。

山上徹也の幻のＴｗｉｔｔｅｒ

山上容疑者の減刑を呼び掛ける署名活動も始まりましたが、刑も決まってないのに不思議なことだと思います。いや、裁判が始まってないどころか、未だ取り調べの途中であり動機だって実際のところはまだわからないのです。報道された彼の人生（宗教による家族崩壊や父、兄の自死等）に対する同情が主な理由だと思いますが、時期尚早以前に情緒に流され過ぎではないかと思います。

これに対して、左翼が彼を英雄視しているという解釈もありましたが、これも変な解釈です。極少数、英雄視する人もいるとは思いますが、そういう人は珍しいわけで、左翼はみんな彼を英雄視しているみたいな論調は無理があります。これは単に反対勢力を貶めるための情報操作でしかないでしょう。

山上容疑者のＴｗｉｔｔｅｒアカウント（現在は凍結）が発見され、供述を裏付けるような発言があったり、政治的には保守・右派であったことも話題になっていました。7月31日、そのアカウントが開設される以前に他のアカウントを持っていて、安倍氏が首相在任時に彼に対する殺意を書き込んで凍結されていたという読売新聞の報道がありました。

山上容疑者の今までの供述によると、首相退任後に統一協会関連組織に送ったビデオメッセージを見たことが犯行を計画するきっかけになったということですが、この報道が事実であるならば供述に矛盾が生じる可能性が出てきます。

しかし、この報道が事実だったとしても、以前のアカウントで書き込まれた殺意の表明は、ネット上のそういうものの大半がそうであるように単なる憤りの表現に過ぎず、その後、安倍氏のビデオメッセージを見たことで本気で殺害を決意したとするなら、別に矛盾はなくなってしまいます。

その程度の情報でしかないのですが、この報道により、供述に矛盾が生じたと判断して、犯行動機自体が統一協会とは無関係であり、既に知られていた方のアカウントの発言は本当の動機を隠し統一協会が原因であるかのように誘導するためのものであったという解釈も出てきました。彼個人が何年もかけて偽装工作をおこなったというよりは、彼の背後に何らかの組織がいて計画的に偽装工作をおこなっていたという解釈だと思います。

ただ、そういう推論の大半はマスコミ批判や左翼批判とワンセットになっています。

凍結の原因となったツイートも含め、どのような傾向のツイートをしていたアカウントかも読売の記事ではわかりません。それなのに、左翼・マスコミは間違っていたという可能性に基づいた批判を前面に出してくる人が多いのは、冷静に検証しようというより左翼やマスコミのような「反日勢力」を叩きたい、間違っていてほしいという党派性の現れでしょう。
その後、8月1日の産経ニュースで、別アカウントについて、特定の他者への脅迫や殺害の意思表示することを禁じる利用ルールに反して凍結されていたこと、統一協会幹部らへの殺害を示唆する内容があったこと、安倍氏に対する殺害を示唆するツイートは確認できなかったことが報じられています。8月1日時点ではどちらが正しいのかわかっていませんが、どうなるのでしょう。

自民党=統一協会？

山上容疑者をめぐる言説の大半は過剰な思い込みと意図的な情報戦にまみれた政治的な争いの場として機能しており、ここから派生した統一協会に関する言説も同じように使われることが多くなります。

統一協会と自民党の関係について色々なことが囁かれていますが、彼らが色々な問題がある宗教団体であるというのはその通りだと思うんですよ。カルト宗教と見なされるような勧誘や霊感商法、信者からの過剰な献金問題、それらによる家庭の破壊という問題を抱えた国民に被害を与える団体があり、それを弁護士から指摘されていたのにも関わらず、政権与党が付き合いを保っていたことは普通におかしなことです。あと、統一協会系のメディアであるワシントン・タイムズが、アメリカ合衆国議会議事堂占拠に関わるデマをはじめ、陰謀論を誘発させ、意図的に分断を煽るような悪質な記事を数多く掲載してきたことだけでも、本当にひどい団体だと個人的には思ってます。

ただ、「#自民党って統一協会だったんだな」というハッシュタグをＴｗｉｔｔｅｒで見かけるたびに、これはよくないのではと思ってました。

このハッシュタグだと自民党と統一協会が一体化しているぐらいの印象を与えかねないと思うんです。もともとは自民党に対する嫌みとしてのハッシュタグだと思うんですが、流れてくるツイートを見ているとストレートに文字通りにとっているのか、そういう意味合いの発言がのっけられていることが多いわけです。インパクト勝負で嫌みという表現をとったんでしょうが、本気になってしまう人がいるのはどうにも困ったものですし、実際にはそんなことはないと思うのですよ。

自民党は統一協会に支配されてるぐらいのことを言っている人もいますが、もし本当にそうだったら神道政治連盟や日本会議が統一協会と同じように自民党に関わっているわけはないと思うんです。

神道政治連盟というのは日本各地の神社を取りまとめる宗教法人・神社本庁（全ての神社が所属しているわけではありません）の関連団体です。日本会議というのは生長の家などの反共産主義右派の新宗教や財界人や文化人によって形成されている右派団体で神社本庁とも繋がりがあります。神道政治連盟の理念に賛同する日本の国会議員によってつくられているのが神道政治連盟国会議員懇談会（安倍晋三元総理が生前会長をつとめていた）、日本会議の理念に賛同する国会議員によってつくられているのがつくられているのが日本会議国会議員懇談会です。

　自民党には両者に所属している上に統一協会系のメディアに登場したり、関連団体のイベント等に参加している人が複数存在しています。**国家神道の流れを組む神社本庁と、皇室を文鮮明の下においたり、日本を韓国への奉仕国扱いするような統一協会は本来なら対立する主張を抱えています。**日本会議や神社本庁がしめす国粋主義的発想と韓国発祥の新宗教である統一協会は普通は対立してないと変です。本当に統一協会が自民党を支配しているのなら、神社本庁や日本会議が自民党に食い込むことを許さないのではないでしょうか。

　これらの団体は敵対するような点を互いの理念の中に持ちながら、同性婚や夫婦別姓問題のような主張、保守的な社会観では共通する点も持っています。現状、そういう利害が一致する部分では共闘しているんでしょうね。

どの団体も純粋に信仰でやっているというよりは、自分たちに利益が回ってこなくなることを怖れて新しい価値観を潰していこうとしているような印象を受けてしまうのですよね。政治家サイドだけでなく団体側の人間にしても、これら全部の団体に関わりがある人もいて、信仰が大事ならそんなこともしないだろうし、本来の信仰よりもビジネスの部分で関わっている人もいるんでしょうし。そうでなければ、こんなに不純な寄り合い所帯は形成されないのではないでしょうか。

団体側は自分たちの主張を政治に反映させようと（自分たちに何らかの利益誘導をしようと）して政党に食い込もうとするし、それを実現させたいなら政権与党に食い込むのが現実的だし、自民党内の保守派にはもともとそういった団体の主張に近い考え方の人もいたわけで近づきやすいし、彼らが自民党に近づくのは自然なんですよね。

政治家側は票や動員、資金、人材の提供といったメリットのために関係性を深めていく。人をタダで出してもらうと人件費かからなくて、お金も浮きますしね。何かしてもらったら、お返しはしなければならないので、彼らが喜ぶこともしなければならない。そのように節操なく色んなものを取り込んでいった結果が現状なのではないでしょうかね。その一角に統一協会がおさまっていると。

たとえば夫婦別姓や同性婚に反対する自民党議員にも、実質的に信者であるような議員、政治的主張が一致していて協力体制が成立した人、ジェンダー問題とか別にどうでもよくて選挙に協力してもらったからサービスで言ってるだけの人、派閥の上の人に従ってるだけの人とか色々いるんでしょうけどね。

統一協会と自民党には勝共連合以来の自民党右派との関係性も確かにありますが、何というか今の状態は政治家側にある種の「利益」を供給することで近年できていった流れなのではないのかなと感じています。

三浦瑠麗の根拠のない話

それはそれとして、自民党と統一協会の関係性があまりないとか、それが陰謀論であるかのような意見も出てきますが、先ほど書いたような問題がある以上は事態の矮小化を狙った発言に思えます。

三浦瑠麗氏のように「大阪に北朝鮮のスリーパーセルが潜伏」という根拠もない話を唱えていた人が陰謀論は辞めましょうと言っているのを見たり、アメリカ大頭領選挙の際もトランプ氏がらみの不思議な情報を垂れ流していた門田隆将氏のような人に安倍氏が統一協会の天敵だったみたいなことを言われると落ち着かない気分になりますね。

そういった持論の人が言うように、政治家が選挙のために様々な団体に社交辞令的に祝電をだしたり、そのイベントに顔を出すことは確かによくあることです。しかし、統一協会との関係性もその程度だと言われても、あのような反社会的な部分のある宗教団体と他の各種団体と同じように付き合うことがまず問題だと感じます。政教分離の問題は難しいとは思いますが、それ以前の問題なのではないかと。また、統一協会との関係性を矮小化したがっている人たちが主張しているよりも、はるかに色々な関係がでてくると思いますし。

また、政治家自身も自分がメッセージを送ったり参加したりしたイベントの主催者が統一協会関係の団体であったことを知らなかったという言い訳をしている人が多いです。もし、本当にそうであれば、そんなに情報収集力がなくて、政治家として、あるいは政治家のスタッフとして大丈夫なんでしょうか？　政治家としての資質に関わる問題です。

また、統一協会に関してもよく知らないという言い訳をする人もいますが、それは40代以上の人間だったら変な話ですよね。30年前には霊感商法、合同結婚式、洗脳といった話題をワイドショーが連日のように取り上げ、雑誌でも特集が組まれ、国会でも取り上げられていたんですよ。よく知らないとしたら、ぼんやりとしすぎだったのでは。また、原理研究会（略称ＣＡＲＰ）による大学での正体を隠した上での統一協会への勧誘と、それによる家庭の破壊は、ずっと問題になっていたわけです。未だに大学では彼らに対する注意喚起がされているわけで、付き合うのに何の問題もない団体だと思ってたら、非常にぼんやりしているのではないでしょうか。

また、統一協会を批判する側も、あんまり威勢よく雑なことを言っていると揚げ足をとられたり、本当に間違いをやらかしてるのを指摘されたりして、信憑性をなくしかねないわけで、自民党は統一協会に支配されているみたいな大袈裟なことを言ったり、なんでも統一協会認定したりしないで、現実的に事実を把握していく必要があるのではないでしょうか。

ＳＮＳで検証が不十分なまま仮説レベルのことをむやみに発信すること自体に弊害はあるわけですが、それすら超えて憶測と飛躍によって陰謀論の領域に突っ込んでいるような言説をとなえる人もいて、そういう人が追及している人の典型のように扱われ、現実にある問題自体が陰謀論のように扱われるようになってしまうと嫌じゃないですか。そんなことをしないで、実際に今まで彼らのやったことを取材してきたジャーナリストや彼らと戦ってきた弁護士の言葉をちゃんと紹介するのが一番いいと思います。

テキトーすぎる神道のつかり

参議院議員選挙もまっただ中の7月前半、宗教社会学者の塚田穂高氏がＴｗｉｔｔｅｒで紹介した、イザナギ・イザナミ神話を引き合いにだしながら夫婦別姓に反対する自民党の山谷えり子氏の過去の発言に対する批判や突っ込みが自分のＴＬにいくつも流れてきました。

自分は原典にあたれてないので、ここでは内容に対する直接的な言及は避けますが、批判には最終的に黄泉と常世の世界に分かれて対立するような関係になるイザナギ・イザナミ神話を男女共同参画や愛や調和の例えとして出すのはおかしい、古事記・日本書紀をちゃんと読んだことがあるのかといった内容が多かったです。

そこに見られる山谷氏の政治的見解やジェンダー観に対する批判も当然ありましたが、氏は神道政治連盟国会議員懇談会の副幹事長をつとめている方です。最近、ＬＧＢＴに対する偏見が多く見られる冊子を配布したことが話題になった神道政治連盟国会議員懇談会ですね。あと、氏は民主党に所属していた時代に統一協会系のメディア・世界日報に登場し、現在も統一協会に選挙を応援されているのではないかという人物です。その上、彼女自身はクリスチャンなんですよね。

自民党の方にはときどき、歴史上の事実と記紀の神話の領域を混同する人が出てきます。日本の最古の歴史書とされる古事記・日本書紀ですが神話や伝説も記述されており、初代天皇とされる神武天皇が実在したかもさだかではなく、実在が確実なのは継体天皇からです。

22年に古屋圭司氏（衆議院議員・党憲法改正実現本部長・神道政治連盟国会議員懇談会員・日本会議国会議員懇談会員）が「神武天皇と今上天皇は全く同じY染色体であることが、「ニュートン誌」染色体科学の点でも立証されている。近代の男女同権という価値観とは次元が異なる」とＴｗｉｔｔｅｒ

イザナギ（右）とイザナミ（左）。混沌をかき混ぜて、島（日本）を作ってるとこ。

に投稿。実在が疑問視され遺体すら確認できてない神武天皇の遺伝子鑑定ができるわけもないし、不可思議なものです。「ニュートン誌」は科学雑誌『Ｎｅｗｔｏｎ』のことだと思われるのですが、同誌にはそのような記事は存在してないということが確認されています。なんでまた、こんな適当なことをいったのでしょう。しかし、神社本庁が怒ったという話はありません。

そもそも、古事記や日本書紀の内容をちゃんと把握できてないことは神道に対して失礼ですし、神話時代の現人神である神武天皇の遺骸からＤＮＡを採取したなどという話は不敬になるのではないかと私は思うのですが、別に怒られないいんですよね。クリスチャンであるのに異端である統一協会に応援されたり、日本会議系の団体のイベントで神道を誉めてたりするのも変だし、神武天皇に関する適当な与太話をしたのにしれっとしてたりするのも変な話です。サービストークなのか何かわかりませんが、敬意がないんですよ。

自分は別にいいんですが、国家神道の流れを組む神社本庁が神道や皇統に関する敬意のない言動を許していてもいいのかと思います。

まあ、別にどうでもいいから何も言わないんでしょうね。信仰的な問題より、現世での利権の方が重要で、それに役に立つんだったら何だっていいってことなんでしょうかね。不思議です。

こういう感じなら、それは互いの利害が一致する間は統一協会とでも仲良くやっていけますよね。

神社本庁も日本会議も統一協会に関する声明を出したらいいのに。

第二章　キツすぎ陰謀論の世界

血液型の性格診断

日本でもQアノン由来の壮大で荒唐無稽な陰謀論が広がり、ディープ・ステートという闇の勢力に関する話は他の様々な陰謀論と融合しながら様々な展開を見せています。その正体について、ユダヤ系の国際金融資本を中心とする複数の組織の総称という比較的現実的なものから、トカゲ型宇宙人の関与まで様々な実態が囁かれているわけです。

トカゲ型宇宙人やゴム人間を信じる人はさすがに少数派でも、ユダヤ系国際金融資本の話を信じている人はそれなりにいるでしょう。ただ、どっちにしろ、**彼らがあまりに万能な存在として設定されすぎていて、**いくらなんでもそれは無理だろうと思うわけです。普通のサラリーマンや主婦などにそんな強大な力が正体を突き止められたりしていることも、変な話ですし。まあ、そんなことを言ったところで信じている人に対しては無意味なのですが。

多くの人は陰謀論なんて自分とは縁のないものと考えてしまいがちです。陰謀論者など完全に理解不能な存在であり、単なる愚か者であるかのように感じる人も多いと思います。しかし、本当に陰謀論は我々の生活とほど遠いものであり、陰謀論者というのは本当に我々が理解不能な遠い存在なのでしょうか?

血液型による性格診断ありますよね。今では話題になることも少ないですが、2、30年くらい前までは世間ではわりと普通に信じられてました。結局、あれは科学的な根拠が全くなかったわけで単なるオカルトでしかなかったにもかかわらず、多くの人がそれを普通に受け入れていたわけです。

このように根拠も確認しないまま、何となく信じていることは沢山あるわけです。血液型性格診断が大きな問題にならなかったのは、これが世間話の彩りになる程度のもので、基本的には社会に大きな影響を与えないものだったからです。勝手に性格を決めつけられて不快な思いをした人もいたでしょうし、全く害がなかったというわけではありませんが、社会情勢に影響を与えるほどのものではありません。

これが「何々という水を飲むと健康になる」という話だと、少し話は違ってきます。何の効力もない水を高い金額を出して買っている被害者がそこに生まれる可能性からです。また、それを信じる人から熱心に勧められるという被害もあります。しかし、その水を信じているからといっても世間から排除されることもないし、値段が常識的であって、軽く他人に勧める程度では別に追い出されることもないでしょう。コミュニティや社会の規範が脅かされなければ、事実でないことを信じたり、広めたりしてもあまり問題にはならないのです。

芸能人の誰と誰が付き合ってるに違いないという話をしている人がいるとします。確かな証拠があるわけではなく、単なる憶測や思い込みでしかない場合もそこにありますよね。でも、別に変な人だとまでは思われません。

こういうのって、構造としては陰謀論とかわらないといえば、かわらないんですよ。さしたる根拠もなく、もしくは思い込みで根拠を決めつけ、存在しない関係性を見出だしているという点では。そう考えると、全ての人の中に陰謀論的な思考形態が存在しているわけです。

自分がデマに騙されるわけがないというふうな過信は禁物です。実際に血液型性格診断、疑似科学的な健康食品、噂レベルの芸能人のスキャンダルを事実であるかのように思っていたり、他人に語った人はそういう人の中にもいるわけですから。

本気の記憶違い

20代の話になるわけですが、自分の記憶の中では漫画家の西岸良平先生は死去されていることになっていました。「えっ!」と思う人もいるでしょう。そう、西岸先生は未だに御存命で活躍されています。しかし、私の記憶の中では亡くなられていたし、父が「ああ、この作者も死んだな」とアニメ『三丁目の夕日』を見ながら言っていた記憶があるのです。

その話を友人にしていたところ、友人も西岸先生が亡くなっている記憶を持っているという話になりました。

しかし、実際には西岸先生は活躍しているわけです。そして、2人の間では「我々は西岸良平が既に他界したパラレルワールドからこちらの世界に来てしまった」と冗談で言っていたわけです。

私も彼女も別に嘘をついてるのではなく、本気でそう記憶していただけですが、自分たちの記憶が真実であるといきり立つことはなく、面白い話として適当に消費したわけです。こういう適当さは大事だと思うんですよね。真剣に西岸先生が存命なのはおかしいと思い、色々と本気で理由を探しだしていたら、変な陰謀論にたどりついていたわけですから。変な思い違いを「パラレルワールド」とネタにしていたわけですが、本気で考えだしていた可能性だってなくはないのです。

他の友人たちにもネタとして話をしていたのですが、その中には超常現象やオカルトのビリーバーの人もいたわけで、その人が本気にして何か考えていたとしたら怖いなとも思います。SF作家の平井和正先生が自作の登場人物である犬神明を名乗る人物と対談して、彼は本物であると言ったという事件もありましたが、信じる人は信じてしまいますもんね。

それはともかく、確かに記憶があっても、その記憶を共有する人が他にいたとしても、現実とそぐわなければ何かの間違いだと考えた方がいいし、別に真実を追求したりせずに適当に流した方がいいのです。

そういう余裕がない状態で記憶にこだわると、確かに事実なのに世間では触れない、何かの陰謀だとなってくるわけで。気をつけなければなりません。そう考えると、陰謀論にのめり込んでしまう人の多くは既に切羽詰まった精神状態になっているわけです。

東北の偽史

Ｔｗｉｔｔｅｒ上で「ママ活」の勧誘をするスパムＤＭが多くの人に送りつけられるということがありました。

容姿の優れた女性と性行為をした上に報酬まで受け取れるなんて、そんな都合のいい話を信じる人はいなさそうなもんですが、信じる人がいて「ビジネス」が成立するから送りつけているのでしょう。人は自分が信じたいものが都合よく提示されたら、ついつい信じてしまいがちな生き物ですから。

地震があるたびにあれは人工地震だったという発言がＴｗｉｔｔｅｒ上で流れてきてげんなりす

るわけですが、別に発言主たちは何かの科学的根拠をはっきり持っているわけではないし、特に何か文献を調べたわけですらないんですよね。そうであって欲しい、そうあるべきだから、そう言っているだけです。

彼らが専門知識を持たない人間だから、そういう事態が起こるということでもありません。東北のまつろわぬ民の歴史を描いた古文書とされた『東日流外三郡誌』。**それが偽書であるという指摘が証拠を踏まえて何度もなされているのに、あれは本物であると主張し続けた研究者がいたのは、そこに彼の歴史仮説を証明するものがあると信じたからです。**たとえば、今までの話とは少し違う話ではありますが、日本考古学界の最大のスキャンダル・「神の手」事件にしても、捏造された石器を名だたる考古学者たちが見破ることができず、一人の人間が連続して大発見をする不自然さ（及び、発見時のシチュエーションの不自然さ）にも気づかなかったのは、彼らの仮説を証明するために必要なものがそこにあったからです。

偽史・偽書を参考にする人々

偽史・偽書というものの中には、単にそれによって何らかの利益を得ようとするだけではなく、世の中が自分の考えているような「世界」でないことに不満を抱くがあまり、世界自体を書きかえようと、やむにやまれぬ暗い情熱に突き動かされて創られたようなものがあります。

それを創った人間は自分が創作しているのにかかわらず、それが真実であるかのような気持ちを心のどこかで抱いているのではないでしょうか。そういったものは、出来損ないの「作品」「表現」であり、成り損ないの「宗教」です。文学にも聖典にもなれなかった『竹内文書』のように。


自分はそういうタイプの偽史・偽書を創ってしまうような人間に対して興味を持ってきました。偽書自体はどうでもいいというか、ああいうものは奇抜なとこだけかいつまんできて紹介されているから面白そうに思えるだけで、だいたいがつまらないものなんですよ。既存の歴史書や創作物からサンプリングしてきたものを、ありがちな「物語」にそって配置しているだけのものがほとんどだから。それにサンプリングとサンプリングの間の繋ぎの部分に独自のセンスで新しい何かがささやかに付加される感じです。

まあ、「真実の歴史」だと信じて読むから読めるので、そうでない人が読んでもツライ、そんなものです。陰謀論の類いもそうじゃないですか。紹介者が面白いとこだけかいつまんで整理してから教えてくれるので興味深く感じるわけで、そういう人の発信する書き込みとか怪文書なんて実際に見ると意味がわからなくて頭痛くなるだけですよ。そんなゴミの山を情熱をこめて創ってしまった、むやみやたらな妄執にかられた人間に興味があるという話です。人間という存在のデタラメさの一つの例として。

しかし、ゴミの山がただのゴミの山として誰にも見向きもされずに朽ち果てていくのであればいいのですが、既に偽物の刻印を打たれ、死んだ環でしかないはずの過去の偽史・偽書のたぐいが現代に召喚されて現実世界を動かしてしまうことがあります。**オウム真理教が教義内にサンプリングしていたものの中には『竹内文書』をはじめとした偽書群がありました。**最初に創った人間の想いとは関係なく召喚され、別の「意味」が与えられ、偽史・偽書は延々と連鎖していくのです。

偽史・偽書の中には国家権力と結びついてしまった、あるいはそのために作られたものもあります。たとえば満州にユダヤ人を受け入れようとした河豚計画（幻に終わったが）には、日ユ同祖説という偽史の影響があったという説もあるわけです。

竹内文書を公開した竹内巨麿。

最悪のケースは『シオンの議定書』です。帝政ロシア時代に反ユダヤのプロパガンダのために国の関係者によって創られたという偽書がヨーロッパ中に広がって、ヒトラーに影響を与え、ああいう結果をもたらしたというのは恐ろしいことです。元が嘘でも信じるものがいれば現実は動いてしまうのです。

最近でいえば、Qに動かされた人々による米連邦議会議事堂占拠がいい例です。どんなに辻褄が合わないめちゃくちゃな話でも、自分に都合がよかったり、自分の気持ちを救ってくれるなら、人は信じるし、行動します。ママ活スパムにひっかかる人も、米連邦議会議事堂を占拠した人もそこは同じなのです。

奇説！木村鷹太郎の『新史学』

陰謀論や偽史にのめり込んでいく人の中には自己のコンプレックスや不遇感を解消するためにそこに向かってしまった人がいます。たとえば、明治・大正期に活躍した文筆家の木村鷹太郎氏などが代表例です。バイロンやプラトンの翻訳でも知られる彼ですが、かつて日本民族が世界を支配していたとする『新史学』の提唱者としての姿の方が今では言及されることが多いのではないでしょうか。

東京帝国大学出身の超エリートの彼がそのような妄言を主張するようになったのは、彼の中の欧米コンプレックスや不遇感によるものでしょう。木村鷹太郎氏の例もそうですが、教養のある人が「真実」を発見して、陰謀論に陥ることも珍しくはないのです。結局は知識とかではなくて、心の中の問題なのだから。

自分（自国）は本来はもっと高く遇されるべきである→なのに、実際はそうなっていない→それは世界の方が間違っている→それを証明しなければならない。思考の流れを単純化するとこういうことだと思います。これが歴史に向かうと偽史になり、それが同時代に向かうと陰謀論になってくるわけですが、密接に関わっているのは先程述べたとおりです。

明治の超エリートであり知的怪物である木村氏などは能力値が高いので積極的に現実を収集しては、脳内で新しい「真実」を創っていくわけです。しかし、世界の形に不満を抱いている人の誰もが創造性に長けてるわけではありません。そういった人は他人がつくった「真実」を見つけることで、自分の不遇の理由を見つけたり、その「真実」を知っている自分は特別な存在であるというふうに思い、自己承認欲求を満足させていくのでしょう。

ここで気をつけなければいけないのが、客観的には木村氏は恵まれた存在であったということです。超エリートであり、文学者・論者としても評価が高かった人なのですから。ただ、本人としては満足していなかったから、世界を書き換える必要に迫られたのです。論争相手をとことん潰さなければ気がすまないタイプの論客で、誰に対しても攻撃的なことからキムタカという渾名で恐れられていた木村氏。彼にとっては他人が全てバカに見えていただろうし、それでは並大抵のことでは満足しなかったでしょう。

『新史学』にしても、自分だけが「真実」にたどり着けたという自負でいっぱいだったろうと思います。陰謀論というのは社会的負け犬がはまるものという考えもありますが、客観的に恵まれていようが、本人の主観として不遇であれば関係ないわけで、必ずしもそうではないのです。ただ、自分の思い通りにならないと我慢できない我が儘なタイプであり、反社会性の強いタイプなのかなと思います。

解決策が提示される陰謀論は魅力的

社会に対する攻撃性が強いタイプばかりではありません。陰謀論にはまってしまう人の中には充足感の欠如、不安、不幸といったものを普段の生活の中で感じてしまっている人も多いと思います。たとえば、余命ブログにのせられて弁護士に対する大量懲戒請求に参

キムタカこと木村鷹太郎。

加してしまい、逆に訴えられてしまった人たちがいるじゃないですか（ネトウヨ系ブログ「余命三年時事日記」にて、朝鮮学校への補助金を停止することに反対する声明を出した弁護士会に対し、弁護士名を掲載して懲戒請求を呼びかけたところ、根拠がなく請求したとして弁護士会から逆に提訴された）。あれに参加している人たちって別に悪人というわけではないんですよね。基本的には善意の人が多いんですよ。「自分が世の中に役に立ってないのではないか。世の中の役に立ちたい」という想いを持った人、人の役に立つことで自分の人生を充実させたい気持ちの人間が多くいたことでしょう。そういう善意の人が免疫がないところにネットで間違った情報を刷り込まれてしまった結果、そういう悪事に荷担してしまった悲しい例が多く混じっていたことと思いますよ。

ネットの情報を疑わずに受け入れてしまう時点で善人なんだと思いますよ。ネトウヨの扇動にのっているように見える人たちにも、素直にネットに書いてあることを信じてしまって義憤にかられている人と、攻撃したいという欲望が先にあって「理由」を提示してもらって攻撃にいそしんでいる人の2通りいると思うんです。前者のような善人をバカだバカだと叩いても何の解決にもならないし、そうかといってほっとくには害があるわけで、悲しい話です。

新型コロナ禍がもたらした不安から荒唐無稽な反ワクチン運動にはまってしまう人もいますし、

自分の身に起こった不幸な出来事で弱ってしまった心が日常からの逃避のために壮大なスケールで世界を捉えようとして陰謀論にはまってしまう人もいます。理不尽に思える運命に苦しんでいる人にとっては、全てに理由がある、理由がある以上是正できるという陰謀論の持つ世界観は魅力的なものなのだと思います。どんな酷い状況だって、がんばって行動すれば解決できるのであれば、これほど安心できることはありません。

こういった人たちに理詰めで論理的に陰謀論を否定しても、特に効果はないでしょうね。彼らがそこから抜け出すためには、彼らの抱えている心理的な問題の原因が解決される必要があるからです。

陰謀論者の中にはめちゃくちゃ勉強をしていると主張する人がいますし、実際に色々な書物を読み漁ったり、小まめに情報を収集している人も珍しくありません。ただ、そもそものテキストの内容が間違っていたら、どんなに勉強をしたところで間違った結論にしかたどり着かないのは当然のことです。

自分の中で「真実」が決まってしまっている状態で、それに合致する情報だけを探すようなやり方をしていたら、そういう情報ばかり集まってしまうわけです。しかし、本人は自分の知識が間違っているとは微塵も思っておらず、逆にそういう指摘をするのは無知だからだと思うのです。

間違いを指摘すると黙る

リアルでも、ネットでもそうですが、変な主張をしている人の論理的な矛盾や事実の誤認識を逐一指摘した場合、何の反応もなくなることってありますよね。陰謀論レベルのことに限らず、思い込みや憶測に基づいて何か言ってくるレベルの人もそうなのですが。

あれはどういう心理状態で起こってることなのか、よく考えるのですが、単純に言って自分が間違っていることを認められないけど、反論もできないので黙ってしまってるということでいいんだと思います。自分が信じていることが真実のはずなのに、何故か反論ができなくされているという現実がある。それを認めたくなくて、黙ってその場をやりすごし、なかったことにしているのだと思います。

そういうことがあったからといって、間違いを認めたり、何かを改めたりした人ってほとんどいないんじゃないでしょうか。時間がたつと何事もなかったかのように同じような主張を繰り返すのが普通です。陰謀論由来でコロナ収束の時期の話をしては何度も外しているのに、それについては触れずに、しばらくしたら同じような話をまたしている人と同じです。

あれは認めてしまうと自分が壊れてしまうから、一時的にフリーズして逃避しているんじゃないですかね。そして、なかったことにする。「真実」が真実でなくなるというのはつらいことだと思いますけど、指摘されたという事実ごと消してまで「真実」を維持しなければならないのは大変な精神状態なんだなと思います。

陰謀論の否定は陰謀論を補強する

この本の中でいくつかの陰謀論や陰謀論者に触れて否定しているわけですが、この本を読むことで陰謀論にはまっている人がそこから脱却するきっかけになることを期待しているかというと、そういうことは全く思っていません。

そんなことは絶対にないだろうぐらいに思っています。

否定されることで頑なになるとか、こちらを無知であると規定して端から話を聞く気がないとか、自分の「真実」以外は受け入れられない精神状態にあるとか色々とありますが、**陰謀論を否定することは陰謀論を補強する働きがある場合があるというのもあります。**

たとえば、ディープ・ステートのような闇の大きな力が世界に影響を与えていることを信じ、闘おうとしている人に対して、そういった勢力の存在を否定する記事をメディアが発信しても、そういう記事が出されること自体が闇の力の証明にほかならないと解釈されてしまう可能性があるからです。

彼らが想定している闇の力は非常に強大であり、マスコミは支配下におかれているとされている場合がほとんどです。だから、メディアから出される自分たちに否定的な情報は「奴ら」の仕業であり、そういったものが出れば出るほど逆に「奴ら」の存在が証明されてしまうのです。

ある意味、強大な敵を想定した陰謀論というのは無敵です。何か持論に不都合なことが起こっても「奴ら」の仕業にすればいいからです。予言めいたものが外れても「奴ら」の仕業にすればいいし、自分たちに都合の悪い事実が出てきても「奴ら」のせいにすればいい。相手は、ほとんど万能の能力を持つ存在だから。

陰謀論に受け身なタイプの人は、何か違うような事態があった時には心が揺れるでしょうが、基本的に信じたいわけだから、発信する側から理由を提示されると安心して信じてしまえるのです。

だから自分が何を書いたところで、良くて闇の力の末端の工作、悪ければ闇の力に洗脳されていることに気づかない愚か者の戯れ言ぐらいにしか思われないでしょう。

論理的に陰謀論を否定していくという行為は、今現在陰謀論にはまっている人に対しては何の効果もなく、陰謀論にはまってない人に対して、正しい認識を広げたり、警戒をよびかけるという行為でしかないのです。


それはともかく、人間誰しも報われたいという気持ちを持っていますし、自分が報われないとおかしいという気持ちも当然あります。そんな心のすきまに陰謀論は入り込んできます。

SNSに漏れ出す関係妄想

おおよそ現実ではないようなことを根拠に他者を攻撃しているアカウントというのはSNS上には沢山いるわけですが、それを本気で信じているのか、本当ではないとわかっていながらやっているのか判断がつかない人物も存在します。まあ、完全に信じているのであれ、意図的に作られた陰謀論めいたものであれ、そこにネガティブな存在として登場させられ叩かれるのは、なんであれ勘弁してもらいたいものです。

ある声優さんが長年に渡り、Ｔｗｉｔｔｅｒ内で誹謗中傷を繰り返す人物に抗議の声をあげたという記事がスポーツ新聞のｗｅｂ版に掲載されていたのを見かけたので、どんなことを言われていたのか気になって、相手の人物のアカウントのホームに飛び、ツイートをあれこれ見たのですが、集団ストーカーのような関係妄想に満ち溢れたツイートばかりで、おそらくは精神的な病を抱えている可能性の高い人でした。

声優さんの抗議の内容は正論です。匿名の陰にかくれ、長年に渡って事実と異なることをあげて誹謗中傷していたこと。声優さんの周辺の人々にそういうリプを送りつけてること。それが卑劣な行為であるということ。それは本当にそのとおりです。

しかし、この人物が認識している「現実」は全く違うのでしょう。理不尽に自分を監視して嫌がらせをしてくる集団に対して正当な戦いを挑んでいるというのが、彼の認識だと思います。どんなに正論を言っても、見えている現実が違う以上、彼には届かないでしょうし、案の定、相手は妄想をより強固にし、いっそう敵意を募らせていっている様子でした。こういう事例を、通常のＳＮＳ上の誹謗中傷の案件であるかのように報道したスポーツ新聞はたいがいだなと思います。

こういった病を抱える人が、ＳＮＳ上で実際は無関係である他者に対して妄想に基づいて攻撃を加えている例はときたま見受けられます。ＳＮＳ上でどんなに抗議したり、説得しようとしても、相手が受け入れることはないだろうし、嘘をついていると思われ逆効果になる場合が多いでしょう。第三者が正義感やイタズラ心で参入して相手を叩こうものなら、自分が何らかの集団に迫害されているという妄想が補完されていくだけです。

ＳＮＳ運営にアカウント凍結のような対処してもらうというのが現実的ですが、それも即対処してもらえるかというとなかなか難しいですよね。対処してもらっても、妄想の根本的な治療がされてなければ、また同じことを繰り返す可能性も高いです。家族や周囲の人が異常に気づいて、治療する方向に持っていってくれるのを祈るしかないのです。しかし、独居者であまり他人と関わらないような生活をしている人だと、それも望めません。どっちにしろ、大きな問題を現実で起こして行政の目に触れるまでは、そのままである可能性が高いでしょう。

Ｊアノンが流行った理由

そういった妄想を抱えたものどうしがＳＮＳ上で結びつくことで、互いの妄想をより強固にするような例もあります。Ｊアノンと揶揄されたような日本のトランプ支持者の中には、そういった問題を抱えている可能性の高い人たちも散見されました。

陰謀論というのは無関係なものどうしに強引に関係性を持たせていくという点で、そういった人たちの関係妄想に親和性が高いものです。個人の妄想から陰謀論が生まれてきたり、意図的にそういったものを取り入れて陰謀論を形成している場合もあります。

ある種の精神的疾患を抱えた人たちが特定の思想を持つ人々が主張する陰謀論に取り込まれたり、逆に特定の思想を支持する精神的な疾患を抱えた人が陰謀論的な発言をするような例は、その思想を問わずみられるものですが、ＱアノンへＪアノンに関しては、彼らが支持しているものが、そういった人々が発しがちな妄想を意図的に取り込んで色々と切り貼りして作られたものなので、特に親和性が高かったのだと思います。

陰謀論を流布する大元にあたるような人物は、何らかの意図（政治的・宗教的な煽動、陰謀論を信じ込みやすい人相手のビジネス）をもって事実でないと知りつつ陰謀論をとなえる人間が大半ですが、自分がとなえる陰謀論を本気で信じている人もいます。そういう人の陰謀論は独自の奇抜なガジェットが登場するものが多く、珍品として好事家のおもちゃとしての人気が出たとしても、陰謀論としては不人気なのではないかと感じます。**病者の関係妄想と陰謀論は似ていますが、前者はどこまでいっても「私」の話で、後者は「世界」についての話です。**個人の妄想のまま広がらないのか、多くの人に受け入れられたり取り込まれたりするかの差はそこにあるのでしょう。

なんというか、変な話ですが、社会性の差なんではないでしょうか。多くの人の「私」の物語に組み込めるようになってるのが陰謀論です。どんなに異常な妄想めいた言説で構成されていても、Qアノンたちを支えた言説は意図的に調律するものがいて、様々な「私」の物語に組み込めるように、ちゃんと整えられているからこそ流行ったのでしょう。

第三章　混沌（カオス）・三浦春馬まとめ

初期報道から内容が二転三転

コロナ禍の中で何人かの芸能人の死が報道されていますが、その中でも三浦春馬氏の自死はそれそのものというより、それについての一部のファンの行動が大きな波紋を呼ぶことになりました。彼の死が陰謀論と結びつけられ、それを信じるファンたちがデモを起こしていることは衝撃的なことです。

彼の死に対するわずかばかりの疑念が、様々な陰謀論的な言説と結びついていき、現在ではQアノン的な世界観にたどりついているわけなのですが、それを聞いても首を捻る人も多いでしょう。日本の一人の俳優の死が世界を揺るがす陰謀に結びつくなんて信じがたいことです、そんな話を信じる人がいるというのも信じがたいと考えるのが普通だと思います。

しかし、現実問題として三浦春馬氏の死に関する真実を公表することを訴えているデモは存在しているし、それはQアノン派生の陰謀論に裏打ちされています。**三浦春馬陰謀論というのは現代日本の陰謀論のある意味典型**であり、ここで見られる構造は他の陰謀論でもあてはまる問題が内包されています。陰謀論に踊らされてしまう人々について考える上で、この件を検証することは大きな意味があるのではないかと思います。

三浦春馬氏の死について、ネット上では様々な噂が流布されています。噂と書きましたが、その多くが、情報源がはっきりしないソースに基づいた、「説」と呼ぶにはほど遠い、論理の飛躍と思い込みにあふれるものです。その中でも他殺説は紆余曲折を経ながら陰謀論といって差し支えのないくらい奇怪な主張を産み出すにいたっています。

三浦氏の死は自死として報道されています。ただ、初期報道の内容は二転三転し、メディアによって内容が異なることもありました。その後、所属事務所であるアミューズのサイトで発表された公式説明も、時系列など今までの報道と異なる部分が見られます。

こういった相互に矛盾を含む情報が報道されていったことが様々な憶測が入り込む余地を与えてしまったことが、後の三浦春馬陰謀論を生み出す切っ掛けの一つになったのです。

生きていた頃の三浦春馬。

時とともに情報が二転三転したり、メディアによって内容が異なったりすることは別に珍しいことでも、不可解なことでもありません。最初の報道は氏の死亡確認から1時間程度のタイムラグで出されているわけなんですが、普通に考えて、そんな短期間で情報を精査して報道することが可能でしょうか？

まず、彼の死を先を争うかのようにして報道したメディアというのはスポーツ紙が中心です。ちゃんとした報道機関とはほど遠い芸能ゴシップ媒体です。情報の公共性・正確性よりも、他社よりも早く扇情的な話題を提供することで売れゆきをのばすことが主目的なのは大方の人は理解できていると思います。

そういったメディアが速報性、話題性を優先して正確な裏が取れないうちに紙面に記事を載せていったために正確でない情報がまず世に出たと考えるのが常識的な判断だと思います。

また、このような事態が起こった時にすぐに冷静な対応をとれる人というのはいないでしょう。事務所側も当然混乱をきたしていたはずです。本来であれば不正確な情報が世間に流れないように、がっちりと体勢を整えなければいけないのですが、それができていなかったために混乱した情報が溢れかえる羽目になったということでしょう。それは担当者の過失なのですが、あまりにも突発的に起こった悲劇に冷静な対応がとれなかったこと自体は不思議でも何でもないと思うのです。

だから、当日の時系列、遺書の有無、自死につかわれた道具、死亡確認にいたるまでの詳細などについて、それまでの報道と事務所発表の間に差異が生じることは怪しいことではないと考えられます。

昨今の自殺報道

警察の目にはあからさまに自死であるということがはっきりした状況であったというのは、彼の自死の確認について「検視」という言葉が使われていることから推測されます。行政解剖をするまでもなく、検視の段階で現場に入れば自殺であると判断できるような状況だったのでしょう。その後の細かい実況見分でも、自死を疑う要素が発見されなかったために解剖による確認がなされなかったのではないでしょうか。

また、自殺報道に関していえば詳細が伝えられることは年々無くなっています。

プライバシーの問題があるというのがひとつ。有名人の自死について詳細な報道がされることで模倣する人が出るというのがもうひとつです。現在では徐々に有名人の自死に関する扇情的な報道は減っていっています。三浦氏の場合は情報が出過ぎているぐらいだと思います。アミューズの正式な発表が詳細に欠けるのは、本人や遺族のプライバシーの観点や社会的な問題に関する観点からすれば当然のことです。

2022年に自死を遂げた渡辺裕之氏や上島竜兵氏の場合は三浦氏よりはるかに少ない情報しか報道されていませんし、一定の時間が経過してから報道されています。これは自殺報道に関するメディアの意識が進んだとか、事務所が落ち着いて対応したというのもあると思いますが、彼らが家族と同居していたことも大きいのではないでしょうか？

三浦氏の場合は事務所の人間が第一発見者です。すぐにマスコミに嗅ぎつけられたのは、ここにも原因があると思います。三浦氏は当日に仕事があったわけですから、事務所の人間としては早急に関係各所に連絡をする必要があります。家族であれば、本人の名誉のために死後に変なことを書かれたりしないようにしたいとか、遺族の身として騒がれたくないということが先にきますが、仕事の関係の人間だと仕事のことが先にくるのはしょうがないといえばしょうがないことです。

自殺なのか否か

また、自殺というものに対する無知が憶測を生んでいったというのはあります。クローゼット内での自殺はありえない、取っ手に紐をかけての自殺はあり得ないという意見を見ますが、これらの場所や方法で自殺するのはわりとありふれたことです。

身長や体重のことを持ち出す意見もあります。まず、身長に関しては、ドアノブを使った首吊り自殺がポピュラーなものであることからわかるように高さはやり方次第では問題にならないのです。体重に関しては取っ手の強度が氏の体重に耐えられるかということを疑問視しているのだと思います。これについては現物の強度実験をするしかないのですが、首吊りというのは窒息して死ぬのではなく、脳にのぼる血液が遮断されることで10数分で死に到るわけです。全体重がかかる必要もありません。

遺書がなかったことを疑問視する声もありますが、自殺者の全てが遺書を残すわけではありません。少し古いデータになりますが、厚生労働省のwebサイトに掲載されている警察庁生活安全局の平成18年のデータによると、遺書のある自殺者は全体の32.5パーセント。また、新潟大学の「新潟県における自殺と遺書の法医学的検討」という論文によれば平成11年度の新潟県内で自殺と認定されたケースの中で遺書が確認されたものが34．2パーセント。最近の警察庁の資料では遺書の有無についての割合が触れられていませんが、この20年で遺書のない自殺者の割合が急減したという傾向があれば何らかの言及が厚生労働省や警察庁の方であるのが自然でしょう。

遺書のない自殺は珍しくないのです。著者の知人にも自死を遂げた人が複数いますが、遺書がなかった人も知る限り3人います。

また、希死念慮が綴られていようが、生きる苦悩が書いてあろうが遺書と認定されない場合があります。三浦氏の場合、遺書めいたものだという報道があったのに、最終的に遺書がなかったということに落ち着いたのは、それではないでしょうか。

あと、三浦氏に自殺するような兆候が見られなかったとして、彼の死に疑惑の目を向けている人もいます。しかし、自殺者の中に自殺しかねないと周囲に認識されていた状況の人というのはどれくらいいるのでしょう？

金銭的な問題で追い詰められている人。ネットバッシングやいじめなどで社会的に追い詰められている人。健康問題で苦しんでいる人。精神的な病の影響で自殺未遂を繰り返している人。こういった人たちなら、自殺の兆候が周囲にも感じられやすいかもしれません。外側から見てわかりやすい原因があるからです。これが家族間の問題であったり、心の内に秘めた問題であれば外部からはわかりにくいですよね。

いじめ自殺でも周囲の人間がそこまで追い詰められていることに気づいていなかった例もあります。本人が周囲に悩みを露骨に出していなければ、借金で追い詰められてようが、いじめにあってようが心理的な苦しみがどの程度かわかりません。何故、死ななければならなかったのか周囲にはわからない理由で自死に到る人もいます。

本人が周囲に気を使わせたくなかったり、弱さを見せたくなかったりという理由で精神的な苦悩を見せない人はざらにいます。覚悟の自殺、計画的な自殺の場合、決行の前に日常の中で普段と違うイレギュラーな行動（普段はそういうことはしないのに急にデリヘル嬢を呼んで性行為にひたる等）をとる人もいますが、普段と変わらない行動をとるだけの人もいます。なによりも、普段から死を考えているわけではなく、何らかのきっかけで突発的に死を選ぶ人もいるのです。そういう人が自殺する兆候を周囲が感じ取れるわけはないのです。

著者の知人で自死を遂げた人の中には直前に会った際に普段とまったく変わった様子がなかった人もいるし、何故それで死を選んだのか理由が理解できない人もいました。弱さを素直に周囲の人に出せる人だけではないし、何が自死のきっかけになるかもわからない。それが現実です。自殺に対して知識もない人がフィクションから得たイメージだけで考えれば、普通のことも奇妙に思えてしまう。それだけのことだと思います。

3タイプの陰謀論者

初期報道が混乱した。事務所の公式発表がプライバシーの問題などで詳細な情報に欠ける。自殺という事象に関する無知。こういった要因がファンの疑念を引き起こすきっかけになりました。しかし、もっとも大きな原因は、三浦氏の突然の自死を理不尽に感じ、それを受け入れることができないファンの気持ちにあります。

あんなに輝いていた三浦氏が自死という選択をするのだろうか？
裏で何かがあったのではないか？

彼が自ら死を選んだという悲しい現実を受け入れないがゆえに、自分が納得できる「合理的」な答えを求めてしまった人たちというのは、最初から異常な人たちというわけではなく、単に思い入れが強いだけの善良な人たちだったたと思うんですよ。これまで陰謀論みたいなものに興味すら持っていなかった人も多いと思います。

死に到るまでの時系列もはっきりしない。マスコミが提示する自殺の動機めいたものも納得できるようなものはない。そういうふうに感じていた、自分が納得できる本当のことを知りたいと思っていただけの善良な人たちを危険な陰謀論的他殺説に導いていったものがいます。

①注目を浴びたくて虚偽の書き込みをＴｗｉｔｔｅｒにするような人間。
②陰謀論の世界に人を引っ張り込みたい人間。
③動画やｂｌｏｇの閲覧者数をのばす目的で扇情的なタイトルでそれらを取り扱い言及する人間。

こういった人たちの発信が真実を探している傷ついたファンの心の隙間に入り込んでいったわけです。

モデルケースとして３つのタイプの人間を書きましたが、明確にわかれているわけではありません。単に注目されたいだけで嘘をついている場合もあれば、自分の知っている「世界の真実の姿」を世間に知ってもらうために、そこに誘導する手段として敢えて三浦氏の件で嘘をついた人もいるでしょう。

「世界の真実の姿」というものを本気で信じている人もいれば、自分は信じていないがビジネス等の目的でそれを利用している人もいます。自分の主張を全て信じてる人から、部分的には信じている人、さらには何も信じてない人まで混ざりあって存在しているわけで、複雑なグラデーションがそこにはあるでしょう。しかし、受け取る側への影響はどれも変わりません。

最初の発信者の思惑は様々だとしても、それを受け取った人が真実だと受け取り、それを自身が二次的に発信する。また、そういったツイートをまとめた、まとめｂｌｏｇが現れる。そうやって発信する人が増えるほど検索に引っ掛かりやすくなる。そういう発信が多いことを根拠にして、強く信じる人が出てくる。この繰り返しで信じる気持ちがドンドン強くなる。そこに新たな情報がまかれ、同じことを繰り返していった結果、とんでもない陰謀論集団が生まれることになったのでしょう。

他殺説の奇妙な根拠

最初のうち、三浦氏が他殺であるということの根拠と言えるような根拠は存在していませんでした。はっきりいうと彼の死が納得できなくて無理矢理に自殺ではなかったとしようとしていただけです。ところがエビデンス不明の他殺説の「証拠」になりそうな情報がTwitter上や匿名掲示板に次々に現れてきます。

彼の体に暴行の跡があったと搬送された病院内の人間からリークがあったという情報がまことしやかに流れています。最初は20年8月30日に個人のTwitterアカウントから発信されたと思われます。しかし、どこでどのような形でリークがされたのかというはっきりした情報は見つからないのです。そのリーク自体を見たというていでツイートしているのも2、3アカウントしかありません。その上、いくつかは既に消えているアカウントです。情報として信頼するに足りる要素はどこにもないんですよ。

しかし、信じたい人はこんないい加減な情報でも信じてしまうのです。三浦氏は自殺したのではないという「真実」がその人の中に存在する以上、それに符合する情報は信じるし、それを否定するような意見は信じるに値しないというのが最初から決まってしまっているのです。

氏の亡くなられた当日である7月18日にサングラスをかけた男が氏の部屋から出てきたという隣人の証言がTBSニュースでやっていたという話も出てきます。20年8月8日に5ちゃんねる既女板の「三浦春馬さんを偲ぶ奥様【情報共有スレ】」に書き込まれたものが最初のようです。これもニュースの存在は確認できません。すぐに消されてしまったという話なんですが、何か雑すぎる話ですよね。

電波媒体のニュースでやってたとするなら、時間帯の話とかも出てくるだろうし、見た人聞いた人がもっと沢山出てきても不思議ではないじゃないですか。それ以前にそのニュースはテレビなのか、ラジオなのか、TBSのサイトにあげられていた記事（映像）なのか、そういうディテールも何もないし、都市伝説のテンプレにそったように「すぐに消えた」みたいな話になってるんですよね。ここでも大元のソースは痕跡すら確認できません。最初の書き込み以降、そのニュースを見たという人は現れるのですが、誰からも番組名などの具体的な話は出てきません。

19年に台湾でおこなわれたインタビューで一番嫌な死にかたを聞かれて、他殺を自殺にされることと答えていたという話もあります。これを殺されて自殺と報道されることを予期しての発言と考え、他殺の根拠にされているようです。やっぱり、このインタビューも存在が確認できません。インタビューを見たという人は存在するのですが、具体的なソースや見たシチュエーションを示すことができる人はいません。

この動画の話の元ネタになったのはフジテレビ系で19年に放送された三浦氏が主演をつとめた、韓国ドラマ『TWO WEEKS』の日本版リメイクの台湾でおこなわれた番宣インタビューではないでしょうか。ドラマは「白血病の娘の骨髄ドナーに選ばれた若い父親が殺人の濡れ衣を着せられ、逮捕されてしまえば2週間後の娘の手術に間に合わないことから必死の逃亡劇を始める」といった内容。このドラマは台湾でも放送しており、番宣のため訪台した三浦氏のインタビュー動画が残されています。インタビュー中、「2週間しか生きれないとしたらどうするか」といった質問がなされて、美味しいものを食べる、お世話になった人たちに挨拶しにいくといった返答がなされています。娘を救うためには2週間しか時間が残されていないというドラマの内容にそった質問だとは思いますが、死についての質問を唐突に思った人もいたのでしょう。

氏の死後にこのインタビューを思い出した人がいて、生前に三浦氏が自分の死について語った動画があるという話が出ていくうちに、それが変形してあのような話になったのではないでしょうか？

元動画はＹｏｕＴｕｂｅに残っているのですが、「最初は一番嫌な死に方について答えている部分があったが消されている」といった内容のコメントがつけられていたり、この動画自体が他殺の証拠（こんなことを言ってるのに自殺する前にお世話になった人に挨拶にいかなかったのは不自然）としているコメントがつけられていたりします。

このように存在しないものを見た記憶があるというように発言する人は嘘をついているかというと、みんながみんなそうではありません。陰謀論めいたものが形成されるなかで、意図的に嘘（動機は様々です）を言う人が結果として他人を誘導することになっていることもありますが、記憶違い・思い込みで事実とは異なることを言っている人も多いのです。

事実でないことでも確信を持っているていで発信されると、ぼんやりとした記憶しか持ってない人が「そういえば自分も見たような気がする」という心理状態になり、自分も見たと思ってしまうことは人間の心理上よくあることなのです。

アニメ版の『ドラえもん』に「タレント」という奇妙な回があったという都市伝説があります。実際には存在しない回ですが、確かに見たという人も多く存在します。その人がみんな嘘つきかというとそうではないのです。三浦氏のインタビュー動画を確かに見たという人も、「タレント」を見たという人も、その多くは誰かの発言に自分の中の曖昧な記憶を誘導されて、見たように思い込んでしまっているのです。

人間の記憶は改変されやすいものであり、多くの人が証言しているからといって事実とは限りません。何かが起こったのなら、必ず何らかの物理的な証拠や記録は残るのです。『ドラえもん』の話などはネットが一般に普及する前の出来事ですから仕方がないのですが、ネット普及後に起こったことであれば当時の何らかの記録がネット上に残されていないとおかしいのです。

件のインタビュー動画の奇妙な内容も、不審な人物についてのニュースも公開直後にそれについて触れている書き込みが残されているのが自然なのに、実際はそういう書き込みの存在は確認することができなかったのです。

インタビューの奇妙な内容について触れている書き込みは三浦氏の死後になって初めて出てきているし、ニュースについて触れている書き込みも報道されたとされる日から時間がかなり経過してから初めて出てきています。それは普通に考えて、おかしなことであり、不自然なことなのです。

巨大な闇の勢力の存在

エビデンスとなる元の出来事について調査・検証した結果、そういった事柄は存在しなかったという結論がでたとしても、それを根拠に自説を発信していた人たちが諦めるかというと、必ずしもそうではありません。何らかの大きな力の介入によって、本当の出来事が隠されてしまったと考えてしまう人も多いのです。

前段で記したように、この件で生じた疑惑の証拠となりそうなものの実在は否定されています。しかし、それが逆に信じる人たちの確信を高める結果を生んでしまうのです。

何かについて仮説をたてた場合、その仮説を成り立たせる根拠になっていた事象の存在が否定されると、仮説自体が成り立たなくなるので撤回されるのが普通です。しかし、答えが最初から決まっている人にとってはそれは関係ありません。そういう人は、こういう答えが存在しているのに証拠が存在していないことがおかしいと考えるのです。根拠があって結論を組み立てるのではなく、結論があってから根拠を探したり、つくったりする、普通と逆の過程で物事を考えていると思えばわかりやすいでしょう。唐突な死に対する疑念から始まり、「三**浦氏が自殺するような理由は存在しないように思える→自殺ではない→そうであれば他殺である→それならば、他殺の証拠となる**

ものがあるはずだ→証拠がないのは不自然である→何らかの介入によって証拠が消されたと考えるのが自然である」といった思考の過程を踏むことで本格的な陰謀論に足を踏み入れることになります。

たとえば、病院の医療過誤を巡る争いは多く、実際に医療過誤があった場合も病院側によって言い逃れられたり、揉み消されることは実際に珍しいことではないようです。しかし、争いが起きたという事実についての情報が消滅したりはしません。

病院側がカルテの開示を渋ったり、被害者側の訴えが裁判で退けられたりということはありますが、告発した当事者の主張自体がネット上から完全に消されるようなことはないのです。ｂｌｏｇで告発していた場合、なんらかの圧力でｂｌｏｇなどを消さざるを得なくなったとしてもその痕跡（そのｂｌｏｇについての言及、ｂｌｏｇ記事を貼りつけた痕跡等）は残ります。かなりの力の不均衡があっても、全てを消すなんてことは不可能なんです。ネット上の匿名の書き込みなんて、いちいち消すのは手間がかかりますし、残るものは残ります。個人の発信でもそうですし、それがメディアにいったん載ってしまえば記録ごと完全に消え去ることなんてないんです。

三浦氏の例にしたって、匿名の書き込み、メディア発の情報を簡単に消すなんて不可能じゃないですか。しかも、一個人の死に関して、そのようなことがおこなわれるということ自体が不自然です。しかし、三浦氏他殺説を考える人はそうは考えません。そういう不自然なことが起こること自体が、三浦氏の死の背後に何らかの謀略があったことの証拠だと考えてしまうのです。

そして、こうなってしまうと論理的に説得することは難しくなってきます。論理的にそれらの証拠が存在しないことをどんなに説明しようが、「それは何者かによって消されてしまった」という答えで全部無効化してしまうのですから。巨大な闇の勢力の介入という答えはオールマイティーだし、無敵なのです。巨大な闇の勢力だからマスコミや警察を操ることもできるし、証拠を消すのも簡単。そんな組織が存在するという根拠が明確に示せなくても、その勢力の力によって証拠が消されていると主張できる。非常に便利な存在です。

疑惑の離れ小島（瀬戸内海）

この「闇の勢力」という概念の導入は他殺の動機についても多くの影響を与えます。

他殺された上に大がかりな隠蔽工作がされているという説をとった場合、誰が何の目的でそのようなことをしたのかは非常に重要になります。それ相応の理由がなければ、そんなめんどくさいことをするわけはないのですから。
現在大がかりな陰謀論に傾いている人たちも、当初はアミューズとの間のトラブルとか、家族間のトラブル、それらと繋がりがある反社会的勢力の犯行といった比較的現実的な路線で考えていたのだと思うんですよ。今でも、報道が消されたというような不可思議な話は不合理的であるとして信用せず、こういうレベルで背景を想定している他殺説の人だっていることと思います（それはそれで不思議ではありますが）。

しかし、警察やマスコミを使った情報操作がされていたり、他殺説の根拠を見つけるたびにそれが何者かによって消されているという事態（主観の話ですが）を目にした人々は、そこに深い闇を見いだします。アミューズがそこまでの力を持っているというのは可能性として非常に低いというのは、彼らだってわかります。その結果、その背後に強大な力を持った何者かの存在があることに気づくのです。いや、自分の説を成り立たせるためにはそういう存在が必要であることに気づくといった方が正解かもしれません。

そもそも、そのような巨大な力を持った存在が一人の俳優のためにそんなことをわざわざするでしょうか？　アミューズが彼らの下部組織であったとしても、たかだか一所属俳優との間のトラブルにそこまで大がかりに介入してくるというのも変な話です。だから、それに見合った動機が必要となります。巨大な闇の勢力がわざわざ一俳優を殺して大がかりな隠蔽工作をしなければならないほどの動機が。

「巨大な闇の勢力が非常な手間暇をかけてでも三浦氏を殺さなければいけない理由があったはずだ。三浦氏が組織の秘密を知ってしまい、告発しようとしていたのなら、そこまでして殺さなければならなかったとしても不思議ではない…」

そこに入り込んできた怪説の中で最もひどいと言っていいものが、エプスタイン島にまつわる有名な陰謀論の日本版というか、そのまんま日本に移し代えただけの「小児性愛者の島、豊島保養所」という話なのです。

三浦氏の殺害の背後にいる巨大組織として想定されているものとしてＣＩＡだったり、Ｑアノンが信じるディープ・ステートだったりがあげられるのですが、最近の陰謀論ではＣＩＡは軍事複合体・国際金融資本（ようするにディープ・ステート）によって操られているとされている場合が多いので、ようはディープ・ステートが背後にいるということになっていると考えればいいんでしょうね。

これらはファンの人が独自に思いついたのではなく、以前からそういった陰謀論を唱えていた人間が、三浦氏の自死について自説の構造に基づいて言及し、それが他殺説のファンの間に入り込んでいったものだと思われます。

こういう言説は三浦氏の死後早い段階であがっていました。真相（と自分が思っているもの）を追求しようとしているが成果があがらない状況の中で、こういった言説に合流してしまった人が多いのではないでしょうか。必要としているパーツを提供してもらったということですね。言ってしまえば三浦氏他殺説という小さな物語が、より大きな物語の中に吸収されてしまったということです。ディープ・ステート言説に取り込まれることで反ワクチン・新型コロナはただの風邪・ウクライナの戦争に関わる陰謀論とも接続されている状況でもあります。

そういえば、竹内結子氏・芦名星氏の自死も三浦氏に関する陰謀論の物語の中に取り入れられて語られている場合があり、個別の死を他者の死に関する物語に都合よく回収しようとしていることに大きな不快感を感じます。なんであれ、陰謀論が次々に接続されていくというのは他のケースでも感じるところです。

アミューズの持っている保養所である豊島保養所で人身売買で集められた子供たちを小児性愛者が弄んでおり、それを三浦氏が告発しようとした話。まともな根拠はまったくありません。三**浦氏がインスタに投稿したカジキマグロが豊島保養所の形と似ていた。離れ小島がエプスタイン島に似ている。イルミナティ関係者のキアヌ・リーブス（これ自体も陰謀論）が訪れたことがある。そういったレベルの話が根拠としてあげられています。**日本にエプスタイン島と同じディープ・ステートの小児性愛者の島があるがそれが豊島保養所と言われているという話もありますが、それをどこの誰が言っていたのかもわかりません。日本のどこかにディープ・ステートの拠点の島がある話と三浦氏を結びつけて作った話なのではないでしょうか。

まともに考えても仕方がないような話なんですが、そんな与太話をまとめたｂｌｏｇが出てきて、その影響で孫引きのようにまた同じことが言われみたいなのを繰り返していった結果でしょうか？

豊島保養所で検索すると、そういう話ばかり出てきます。そういうのばかり出てくると、もっともらしい話に思う人も出てくるわけで性が悪いです。

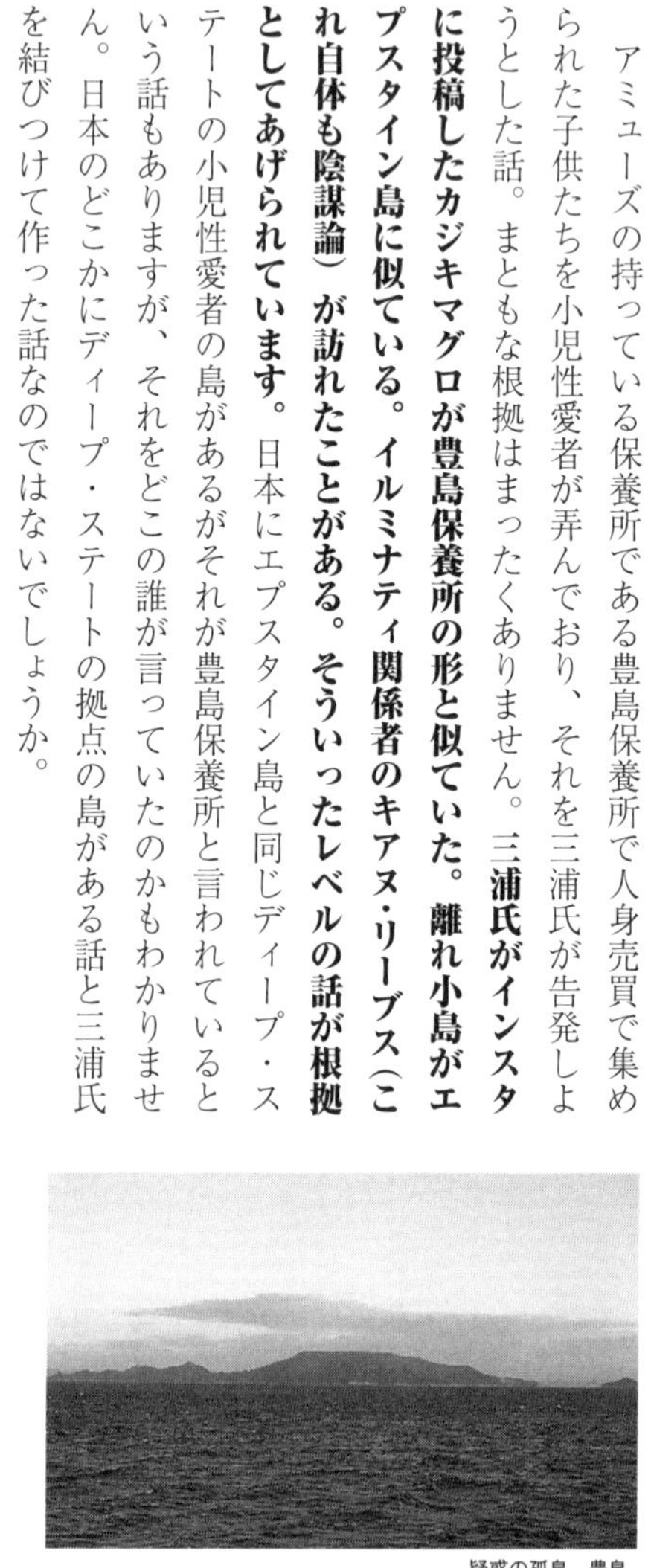

疑惑の孤島、豊島。

「こんなの信じるなんてバカじゃないの?」と思う人は多いでしょう。しかし、何度も繰り返して書きますが、人間は信じたいものを信じてしまう生き物です。必要としている答えを与えてくれたり、自分の信じる正解を補完してくれるようなものが提示されたら飛びついてしまうのです。精神的に切羽詰まってしまえば、学歴とか文系理系とか社会的地位とか経済状況に関係なく、「答え」に飛びつくのです。

特定の条件を持つ人が陰謀論にはまりやすいのは、その人たちが精神的に切羽詰まりやすいということでしかなく、その条件にあてはまらなくても精神的に切羽詰まるようなことがあれば、求める答えのようなものを提示されたら陰謀論にはまってしまうんです。オウム真理教の幹部に高学歴の理系もいたのは、オウムがそういう人たちの悩みに対する答えも用意していたからです。

三浦春馬デモ参加者は特殊ではない

教養によって心理的な動揺が抑えられる場合も当然あります。自殺についての知識があれば、予兆も見せずに突然自殺する人もあるという知識から、悲しいながらも納得する人もいるでしょう。しかし、自殺に関する知識があっても、三浦氏の自死がどうしても受け入れがたく「そのような自殺に見せかけた他殺では」と思ってしまえばそれまでです。三浦春馬デモに参加しているような人が特殊な人かというとそうではありません。我々と地続きの存在であり、別のことで同じようなことをしてしまう可能性は誰の中にもあるのです。

また、三浦春馬デモに参加している人が全て同じ考えかといえば、そうではないと思います。神真都Qの反ワクチンデモに参加している人間が全てゴム人間やトカゲ型宇宙人は松ヤニに弱いとかいう話を信じているわけではないのと同じで、色々な考えの人が三浦氏の死はおかしいという一点で結びついているのでしょう。細かい真実は共有していない、それどころか対立するような考え方の場合もあるのに、共通する一点で活動を共有しているという事例は他でも見られることと思います。

なぜ、そうなるのか？　反ワクチンとか三浦氏他殺説の段階で周囲から疎外されることになるのはたやすく想像できるわけです。トカゲ型宇宙人の陰謀レベルの人だけでなく、治験が足りてないから危険とか、三浦氏の死に対する報道が早すぎたのは不自然という理解できる範囲で疑念を抱いている人だって疎外されるのは同じです。しかし、ディープな陰謀論者が主導するようなコミュニティではそれはありません。穏便派といえるような人の主張の多くは彼らの主張の中に内包されているわけで別に異議を唱える必要はなく、とりあえず受け入れてもらえるのです。向こうとしても現状での細かい認識の差はあっても、これをきっかけにさらに「真実」を共有してくれるかもしれないから喜んで受け入れるでしょう。

はたから見てると不思議な光景ですが、本人たちは大きな目的のために小さい差異は気にしてなかったり、変に思っても居心地の良さに異議をとなえなかったりするような人が多いということなのだと思います。なにしろ、受け入れてくれる人は少ないので、そういう場所は大切でしょうから。

便乗するスピリチュアルな人たち

三浦氏の死に関しては他殺説の一方でスピリチュアルな言説も撒き散らされています。氏の死を予言していたという者。霊視により氏の悲しい運命が見えていたという者。占いの結果、氏の運命はこうなると既に定められていたのが判明したという者。どれをとっても、死後にそういったことを捏造して発言しているか、過去の何かを後だしでこじつけてるかでしかなく、本当にひどいものですが、こっちはこっちでそれなりに信じる人がいます。

そういうスピリチュアル論説のいかがわしさについて他殺説の人が非のつけどころがないくらいロジカルに指摘している文章を見かけたことがあります。それならば自説をもっとロジカルに検証できるのではないかと思うのですが、そうはならないようで。人間とは不思議なものです。

突然の死に納得できない思いを抱えてしまっただけの善良なファンが、職業的な陰謀論者や陰謀論をおもちゃにしているような人の言説に誘導されて危険性をはらむ大きな陰謀論の中に絡めとられてしまったのは非常に悲しいことです。ただ、自分たちが何かを守ろうとしておこなっている行為が、逆にその対象を辱しめたり、害を与える結果になっているのも無惨なことですが、そうなってしまうのは、相手のためと言いながらも結局は自分の心の平穏のためにおこなっているからなのではないでしょうか。

もう一つ言えることは、本人が善良だからといって、それを放置していていいのかというとそれは別の話であり、善意だろうが悪意だろうが、やったことの責任はとらなければならないということです。

三浦春馬氏の死に関して見られる構図と同じものは、至るところで見つけることができます。対象が何に代わっても、それに対する人間という生き物の反応は大差がなく、条件さえ整えば似たようなことをするものです。陰謀論にはまっている人を批判している人をよく観察してみると、別の陰謀論にはまっているということは珍しくないのですから。

第四章　コロナで湧いた陰謀集団

陰謀論を信じて逮捕者続出

この4章では新型コロナに関する陰謀論を主張していた団体や、そういった言説の周辺にいる人たちについて考えていきます。

コロナ禍が陰謀論の世界に及ぼした影響というのは本当に強いものです。アメリカ大統領選を巡るひどい騒動もコロナの蔓延がなければ、あそこまでにはならなかったでしょう。日本でも極右傾向のある人たちの一部がそれまでの歴史修正主義や排外的なデマといったものから一歩踏み出し、ディープ・ステートのような壮大なスケールの陰謀論と関わるようになりました。

ディープ・ステートのような荒唐無稽な話を信じる人が今までにないくらいの規模で増えたのも、コロナ禍の原因とディープ・ステートを結びつけた言説からです。

コロナに関するそれは現代の陰謀論における大きな潮流であるうえに、しかもその影響下で現実で何かが起きる高い可能性を秘めた大きな力を持っており、現代日本に生きている以上、誰もが何らかの形で触れてしまうものだと言えます。

そんなコロナに自分から積極的に関わった人たちと、その影響下でうごめく人たちの話です。

2022年4月7日に起こった新型コロナワクチン接種会場に複数人が侵入して妨害行為をおこなおうとした事件。当日現行犯逮捕された人間のみならず、この行為を組織的に企てたとされる反ワクチン団体・神真都Qの幹部も4月20日に住居侵入罪の疑いで逮捕されるという事態になりました。現行犯で逮捕された者たちにとどまらず、所属する団体自体の責任が追及されたことは彼らの活動の迷惑さを物語っているでしょう。

神真都Qというのは21年後半に発足した反ワクチン団体で、正式名称は「一般社団法人神真都Q会」であり、一般社団法人として登記されている団体。それぞれ甲兄、岡本一兵衛と名乗るYouTuberでもある2人の代表者に率いられ、コロナウイルスの存在の否定・反ワクチン・反マスクの危険性を主張してきました。かねてより、Qアノンの流れを組む奇妙な主張とエキセントリックなデモ活動でネットの一部で話題になっていた存在です。

本人たちは自分たちがドナルド・トランプに承認された日本における正統なQグループであるみたいなことを言っていますが、影響を受けているというかパクっているだけで、国粋的なスピリチュアル度が異常に高い主張が多く、「大和民族は善なる宇宙人の子孫」みたいな主張を見ると正統な

Qアノンとは言えない存在ではあります。陰謀論者の系譜に正統も何もあったものかというのはありますが。

自分たちの意見を組織としてデモやポスティングなどの合法的（彼らの主張の一部が名誉毀損などの法に触れるのではないかという疑いや、医療機関や保育所にビラを送りつけるのは迷惑行為などではないかというのは、とりあえずおいといて）な手段で世の中に訴えるのみならず、ワクチン接種会場に乗り込み物理的に妨害活動をおこなうという完全な犯罪行為に手を染めてしまったことで、一部のネットのみならず一般的にもその名を大きく知らしめることになってしまったわけです。これまで、イケイケだった同団体ですが、この件で代表者の一人である岡本一兵衛氏までが逮捕された後はデモ活動は沈静化。

大物芸能人の二世が所属

岡本一兵衛を名乗る人物の素性が俳優・岡崎二朗氏の実子である元俳優・倉岡宏行氏であることも話題になりました。**岡崎二朗氏といえば、新型コロナで亡くなった千葉真一氏との交流でも知られ、生前の千葉氏がスピリチュアル系の反ワクチン言説の影響下にある考え方をしていて水素水を**

飲んでいればコロナにかからないと語っていたというエピソードを哀しみながら語っていた人物。

そのようにワクチンの重要性を語っていた岡崎氏の息子が反ワクチン運動に手を染めていたとは、岡崎氏の気持ちを考えると同情の念がおさえられなくなります。

コロナウイルス自体が存在しないという言説を唱えていた神真都Qですが、この事件に対するコメントを出したころ、岡崎氏は新型コロナの罹患からの退院後であり、後遺症に苦しんでいたといいます。本当に気の毒です。

また、倉岡氏以外にも美輪明宏の甥のプロレスラー（彼の妻が逮捕されたためにInstagram上で警察署襲撃を仄めかすような発言をし、神真都Qから注意された）や元グラビアアイドルなども所属している点も、他の反ワクチン団体と違った印象を与えるポイントです。こういった人たちが持っているノウハウを利用した、芸能界的な人集め・ファンクラブ的な会員制度（会費あり）の導入などの手法が組織を拡大するのに貢献したという見方もあります。

『聖戦士ダンバイン』で挿入歌を歌う小出広美も神真都Qの活動に参加。

彼らの主張は有名陰謀論系ＹｏｕＴｕｂｅｒ・ジョウスター氏の発信した情報に基づいています。その主張について知っていくにつれ、奇妙な気分におそわれてしまう人は多いでしょう。新型コロナワクチンに対して単に反対しているというにとどまらず、陰謀論のつぎはぎで構成されたあらゆるものに対する珍妙な幼児性にとんだ彼らの主張は、まともな神経をしていたら、とうてい信用するに価しないものだからです。

彼らに限らず、反ワクチン・「コロナはただの風邪」論をとなえる人間が同時にディープ・ステートという悪の組織の存在を信じ、それらと戦う光の戦士としてトランプやプーチンを支持している様子はＳＮＳで頻繁に見かける光景です。

ナノチップ混入と言われても……

臨床実験の件数が少なすぎるという理由で、新型コロナワクチンの安全性に不安をおぼえるというのは極めて普通のことだと思います。また、日本では過去にワクチンでの薬害事件もありましたし、そこからワクチンというもの自体に不安をおぼえる人もでてくるでしょう。それでワクチンを打たないというのは選択の一つとして何も間違ってないと思います。

アレルギーを複数抱える人がワクチンを打たないのも極めて普通のことですよね。アレルギー反応で命の危機がおとずれる可能性が高い以上、新型コロナに感染した場合のリスクよりも、ワクチンを接種した場合のリスクの高さを重視するのは、個人の選択としてはおかしなことではありません。

これらの主張は科学的な根拠に基づいて新型コロナワクチンの安全性に対する疑問を表明しているわけで理解の範疇内の出来事です。

治験も十分におこなっていないワクチンの接種を国家ぐるみで広げていくのは企業と政権の利益が優先されているからなのではないかと疑う人もいます。企業と政権が癒着していて、企業に利益を誘導するためにワクチン接種を半義務化し、企業は何らかの見返りを政治家に支払っているということですね。

ワクチンの効能でコロナ禍がおさまる可能性に賭けて、別に多少の被害が出てもいいからと各国政府が早急なワクチン開発と実地配備をいそがせたという疑惑だって浮かぶ人もいるでしょう。

こういった政府や企業のあり方についての疑惑も別にそこまで変ではないとは思います。全然ないとはいいきれない。その疑いは捨てきれない人がいても不思議ではありません。

ただ、ワクチンの中にビル・ゲイツの手によってナノチップが混入されていて管理・監視されるようになるという話を聞かされても何一つとして納得することはできませんよね。そんな高度な科学技術が存在するのであれば、もっと効率よくチップを埋め込んでいくことが可能だろうし、新型コロナワクチンに限定せずに色んなものに入れていけばいいだけの話ではないでしょうか。

ナノチップを体内に入れたからといって、別に思考までコントロールしたり、思考自体を読み取れるわけではないと思いますし。せいぜいGPSみたいな機能しかないのでは。その程度のことに、ここまで大掛かりなことをやるのは不自然ですよ。人間が直接電波が受信できるようになる技術を開発したんなら、電話方面とかに応用したらいいのではぐらいに感じます。

「ワクチンこわい」を正当化

ナノチップと並んでワクチンデマでよく見るのが胎児や蛇毒の混入です。胎児に関しては開発の段階で中絶した胎児から取り出した細胞を実験に使用する(ワクチン自体に使用するわけではない)という話が変に伝わったんだろうと思いますが。ワクチンというものが何なのかを考えるとあり得ない話なのはさておき、ナノチップの件なら「最先端の科学技術なら、ひょっとして可能なのかも」みたいなことを感じてしまう人が出てくる可能性はあるとは思うんですよ。しかし、人間の胎児の一部や蛇毒が混入されているみたいな話にいたっては、何でそのような話を信じてしまうのか、全く理解ができなくなってしまいます。

どう考えても蛇毒も胎児（せめて胎児の遺伝子を使った何かとかにならないもんでしょうか）もワクチンにそのものを混入できないでしょうし、蛇毒だったら「ワクチンを射った人を殺すために毒を入れたんだ」ぐらいには思えますけど、胎児を入れる意味がわからない。胎児の効果は何なんでしょう？　胎児の一部とはいえ、そのまんま入ってたら腐るとは思うんで毒にはなるかも。しかし、別に胎児とか蛇とかじゃなくても毒物はたくさんあるし、もっと効率のいい毒は他にあるでしょう。胎児の混入によって遺伝子が書き換えられるという主張をしている人もいますが、なんでそうなるのかわかりません。

そのうえ、ワクチンを普及させようとする動きの影にディープ・ステートという世界を支配する闇の組織の陰謀が存在していると主張されても困りますよね。ディープ・ステートの正体は軍事複合体・国際金融資本の集合体という話くらいなら、信じる人がいてもおかしくないと思います。しかし、ディープ・ステートが気にくわない人間は彼らにゴム人間に入れ換えられてしまうなどという奇想天外な話をされたり、トカゲ型宇宙人がディープ・ステートに関与していると主張されたところで普通の感覚があったら信じることはないだろうと、多くの人は思うことでしょう。

しかし、信じる人は信じてしまうんですよね。どんな滅茶苦茶な話でも。三浦春馬陰謀論の章でも言いましたが、本当に信じてしまう人はいるんですよ。

前にも触れたように、結論が先にあって、その理由を探しているという傾向がある人は、いくつかの事象に対する推論を積み重ねていくことで結論に達するわけではないんですよね。ここで言えば「よくわからないけどワクチン怖い」という感情が先にあり、その感情を正当化してくれる理由を探しているだけなのだと思います。

「ワクチン怖い」みたいな感情は、どんなに科学的に説明されたところで解消されません。逆に理詰めで説明されることで自分の気持ちが否定された気分になってしまい、より頑なになってしまうことも珍しくはありません。

陰謀論というのは、そういう論理では解消できない気持ちの問題に優しく寄り添うという働きを果たすことがあります。陰謀論に絡めとられてる人の大半は、別に自分の中からその陰謀論を生み出しているわけではなく、他者から与えられたものを単に受け入れてしまっただけの人です。その内容を論理的に検証して受け入れているわけではなく、自分の想い・感情を肯定してくれるものを提供されて受け入れてしまったわけなんですよね。反ワクチンデモに参加している人も三浦春馬デモに参加している人も、その大半は悪質な陰謀論者ではなく、普通の善良な人々だと思います。

神真都Qとは何だったのか

神真都Qに関しては、幹部クラスの人間が自分たちの主張を本気で信じていたかどうかは疑わしいという説も出ています。コロナ禍で不安な日々を送るなかで、ワクチンに対して疑問を抱くようになった人たちに、彼らが必要としている「答え」を意図的に提示することで人を集め、その人たちから集金することを狙った悪質なビジネスなのではないかという疑いが持たれています。YouTubeの政治的なアカウント・歴史を扱うアカウントの多くが広告で収益をあげるために、ネット受けのいい、いわゆるネトウヨ的な言説・陰謀論めいたものを取り扱っているのと同じ構図なのかなと。

幹部クラスの人間が解散済みの悪徳マルチに関わっていたという話もでているようです。その時のノウハウを生かして、陰謀論を素材に展開していると考えると、末端の構成員はあくまでカモであり、被害者ということになってきます。こういった末端の構成員をビジネスのために煽っていった結果、自分たちでもコントロールができない事態に陥り、今回の事件が起きたとしたら皮肉なことです。とにかく、年会費3600円の徴収やエデン創りと称する移住した土地での村作り計画に関連する寄付金など、多額の金銭が集められているのは確かです。

その後、ウクライナ侵攻について、「プーチンはQ側であり、ウクライナはディープ・ステート側に立っている」と主張したり相変わらずで、団体の主張の路線が変わることはなさそうです。

また、神真都Qが株式会社化していたことが判明しています。会社設立の日付は22年6月6日。商号は「やまとCOMPNY株式会社」。COMPANYではなくCOMPNYなことに深い意味はあるのでしょうか（6月29日に商号変更をして、現在は「やまとCOMPANY株式会社」の模様）。宗教法人の申請を新しく通すのは難しいために株式会社化をしたのではないかという説もありますが、経済活動のほうにいっそう力をいれようとしているようにも見えなくもないですね。

22年3月にワクチン接種会場だった東京ドーム内に侵入した疑いで7月13日にも新たに逮捕者が出ています。相次ぐ逮捕、株式会社化、会費や寄付などで集められた金銭の行方、それらをめぐる甲兄を名乗る代表・村井大介氏に対する不信感で、実際に各地でデモを仕切ってたような人たちなど幹部クラスの脱退が相次ぎ、実質的に組織が崩壊してしまったと考えられます。ネット上に流れる脱退者たちの文章を読むと非常に論理的に脱退の理由が語られている場合が多く、陰謀論者の大半が普通の人であり、誰がいつそうなってもおかしくないというのをひしひしと感じます。

また、彼らの脱退理由はあくまで組織に対する不満・不信であって、陰謀論から離れるかというとそういうわけでもなさそうです。また、先導する組織が新たにできれば合流したりすることもあるでしょう。

脱退者の発表した声明からは、特定の宗教団体の人間が出入りしていたとか、村井氏の素性が正体不明であるといった情報が出ていますが、詳細が判明しないうちから憶測で考えていくと新たな陰謀論に繋がっていきかねないわけで、木乃伊取りが木乃伊になりかねないので、そこは注意しないといけません。

ノー・マスクで山手線一周

神真都Qの発足以前、コロナ関係で世の中を騒がせて目立っていたのが国民主権党です。

19年にNHKから国民を守る党の公認候補として参議院選挙に立候補していた平塚正幸氏が20年2月に設立したのが国民主権党です。平塚氏は20年に東京都知事選挙、21年に千葉県知事選挙に出馬し、悪い意味で話題になりました。

彼らの主張をわかりやすく言うと、コロナはただの風邪・反PCR・反マスクといったところになります。ワクチン普及前に活動が開始したために、反マスクにしぼった街頭活動が多く反ワクチンのイメージは薄いですが、当然ながら反ワクチンでもあります。

国民主権党の平塚正幸。

この団体の特色はコロナ関係ワンイシューというところではないでしょうか。多くのコロナ陰謀論者がQ発祥のディープ・ステートなどの世界に関わる大がかりな陰謀論を持ち出してきたり、スピリチュアルな要素を持ち出しがちなわけですが、ここは違います。非常にシンプルに「コロナはただの風邪」という主張で活動しています。先達であるN国を踏襲したかのような、ワンイシュー路線です。シンプルすぎるために特筆するような主張は特にこれ以上はありません。

ある意味、あらゆる陰謀論をてんこ盛りにした神真都Qとは正反対の存在でありますが、主張にちゃんとした根拠が見られないという点では似たようなものです。国民主権党が耕した畑に後から神真都Qが乗り込んできて、ワクチンに対する不安に焦点をしぼった派手な主張で支持者をかっさらっていった感もあります。

主張自体は飛躍が少なく派手さはありませんが、彼らの名を有名にしたのは20年に毎週末に渋谷駅前でおこなわれていたクラスター・フェスと呼ばれる音楽イベントなどの派手な街頭活動です。渋谷のハチ公前という人通りの多い地域でおこなわれていた、このイベント。迷惑度の高さはかり知れません。

また、20年8月には党首・平塚正幸が支持者と共にノー・マスクでJR山手線で一周する様子をYouTubeで公開。大きな批判を浴びました。

12月には平塚氏が日本医師会館の構内で抗議活動をおこない建造物不退去の現行犯で逮捕されるなど20年は話題になることが多かったです。

異様なクラスター・フェス

彼らはYouTuberでもあった平塚氏の趣向なのか、クラスター・フェスなどの活動をYouTubeで配信することが多く、そこに映るエキセントリックな様子の支持者たちが話題になりました。

クルド難民問題やBLMに関するデモにノー・マスクで現れた異様な雰囲気の男が嫌がらせめいた行動をして追い払われるということがあり、一部で右派の嫌がらせだと言われていたのですが、国民主権党の有力党員によるものでした。

男はかつては反原発デモに熱心に参加するなどしていた人物であり、前の参加者（男の素性が知れたのは、過去のデモで男を目撃していた、そういう人たちの証言からです）たちが人権問題に関するデモに参加しているのを知り、かつてのよしみから真実を伝えてあげたくて善意でやったことなのかもしれません。やられた方からしたら、迷惑でしかないですが。

22年4月、平塚氏が国民主権党主催のイベントを通して知り合った未成年の女子生徒（母親が国民主権党の熱心な支持者）と交際した上に妊娠・出産させ、児童福祉法違反などの疑いで家宅捜査を受けていたことが『ＦＬＡＳＨ』の記事により発覚。平塚氏は弁明動画をあげたものの、当然ながら批難は続きました。

この事件以降、平塚氏はウクライナ侵攻やグレート・リセットに関するありふれた陰謀論をニコニコ動画で語ったりしていますが、全然話題になっていません。本来、こういったＱアノンに繋がるような主張はしてこなかった平塚氏だけに迷走感は拭えず、事件報道によるダメージの深さを感じます。

平塚氏に関しては根深い陰謀論者というより、ＹｏｕＴｕｂｅｒ的な方法論でコロナ禍という時代に乗っかった人という要素の方を強く感じてしまいます。陰謀論めいた主張をする人というのは、基本的に主張に余白がありません。それが与太話でしかなかったとしても、ギッシリ詰め込んできます。あらゆることに関係性を見いだそうとします。

平塚氏の主張は余白だらけで、根拠の提示も雑で、そういう熱心な執着は見られません。**陰謀論者の主張がギッシリ詰め込まれがちなのは、彼らの仮説どおりに世の中が進まなかった場合、それに対する言い訳もしなければならないので、どんどん主張が増えていくのも理由の一つだと思います。**

平塚氏の場合、主張にあまり細かい設定がないので、多少の状況の変化では主張と矛盾する事態が生じにくく、コロナ禍がおさまらないかぎりは何か新しい主張を継ぎ足す必要もないんですよね。

ただ、マスクをつけるのは嫌いのような気がします。何か大きな真実に気づいたというようなことではなく、マスクをしたくないから言い訳を探していただけのようにも思える軽い主張と、動画配信を活用した派手なやり方。N国を踏まえたような軽薄さが真骨頂なのではないでしょうか。

ただ、上で触れた有力党員もそうですが、クラスター・フェスの配信に映し出される支持者の様子はエキセントリックで、神真都Qのデモ参加者や三浦春馬デモ参加者と比べても際立っています。他の界隈のデモは普通にデモとして真面目にやっているがクラスター・フェスはイベントなので参加者が楽しそうにしていてそれが異様にうつったとか、マスクをしてないので表情がわかりやすいというのもありますが、時期も関係があると思います。

コロナ禍の初期は新型コロナについて全然解明されていない状態で、命に関しても、仕事に関しても、人々の不安は今とは比べものにならないものがあったと思いますし、切羽詰まりかたも違ったでしょう。いつ死ぬかもしれない、このまま自粛が続けば廃業・失職してしまうというプレッシャーに耐えきれなくなり、コロナの存在・コロナによる被害を否定することで救われようとした人が国民主権党の支持者には多かったのでしょう。

ワクチンは打たなければいいけど、コロナが存在しているとしたら死や生活の破綻の危険から逃げられません。そこは大きな差かもしれません。なくならないと彼らが直面している不安はどうにもならないのだけれど、急に収まるわけがありません。コロナの害など最初から存在しなければ自分に死や破綻が迫ることもないし、コロナがまやかしなら今起こっていることは人為的な問題なので解決することができるはず。そういう魔術的思考に逃げざるをえない切羽詰まっていた人たちなんでしょう。

陰謀論の世界でも、主張の質や量よりも、行動力の方が求心力に繋がりやすいという話でもあります。

参政党の強烈オピニオン

22年の参議院選挙、一部で話題になっていたのが参政党という新政党の躍進でした。YouTubeなどを通した活動で支持を広げてきたネット発の政党であり、党員数7万人以上という話もあり、選挙資金3億6千万円以上、公式YouTubeチャンネルの登録者数は22年7月の時点で17万人にも及んでいます。その豊富な資金力を生かし、全国45選挙区すべてに候補者を立て、全国比例にも5名、新興政党とは思えない勢いでした。

全国比例で出馬し参議院議員に当選した神谷宗幣氏（現在は党副代表兼事務局長）により20年に結成された政党なのですが、何ゆえにこのような勢いがあるのでしょう？


神谷氏は、若手の保守派地方議員の超党派連合体である「龍馬プロジェクト」を結成したり、「Channel Grand Strategy」（以下ＣＧＳ）というインターネットチャンネルでの活動で10年代から保守・右派の間で注目を集めてきた人物。「龍馬プロジェクト」の結成は10年であり、10年以上かけて国政を目指し行動してきたわけです。新しい政党ではありますが、人脈の広がり、国政に向けて支持者を増やすために積み重ねてきた10年という年月の長さを考えれば現在の勢いも納得できますね。それだけの準備期間を費やして、いよいよ国政に乗り出してきたというわけです。

「活動も政策も人材も、自分たちでＤＩＹ（Do It Yourself）していくのが参政党の理念です」と唱えている彼らですが、その内実は「世界唯一の皇統を日本のアイデンティティの根幹として未来に継承する」ことを目指す完全な右派政党です。皇統を尊ぶのは別に好きにすればいいのですが、問題は彼らが主張しているものの中に排外主義のような思想、疑似科学やスピリチュアル、陰謀論に至るまで含まれているということです。

彼らがこれまでの泡沫右派政党と違うのは物議を醸しそうな党の主張をソフトにコーティングして見せる巧妙な手腕だと思います。これまでの日本第一党や維新政党・新風は極端な民族主義や排外主義、差別主義といったものを露骨に押し出していて、そういう指向の人たちに対する求心力は高いでしょうが、それを良しとする人というのも数に限りがあるわけです。

しかし、参政党は違います。Ｗｅｂサイトで前面に押し出されているのは「ＤＩＹ（Do It Yourself）」「投票したい政党がないから、自分たちでゼロからつくる」というキャッチフレーズ。**どこにも右派の匂いはしませんね。**具体的なことは何もわからないけどポジティブな雰囲気ですし、みんなに政治参加を呼び掛けているような感じもあって民主主義を尊重している感じもします。そもそも、新風だの日本第一党だのは政党名からして何だかいかつく、右派であるのが丸出しなのに対して、参政党と言われると民主主義を重要視している政党のような感じもしてきます。

Ｗｅｂサイトをよく読めば、党の政策方針の中に右に書いたような皇統の話が出てきたり、農薬や肥料、化学薬品を使わない農業と漁業の推進といった非現実的なもの、「社会主義的な戦後システム」「自尊史観の教育」といったうろんなフレーズ、「外国人労働者の増加を抑制し、外国人参政権を認めない」という排外主義的なものが散見され、党名のロゴをよく見ると「党」の兄の部分に日の丸がさりげなく組み込まれていたりします。しかし、読み込まなければ気づかないように非常にさりげなく置かれているのです。

これもＷｅｂサイトでは全面に出されてはいませんが、コロナ非脅威論・反マスク・反ワクチンといったところも党の基本的な方針になっているようです。Ｗｅｂサイトの動画のページには、神谷氏と並び党共同代表をつとめる吉野敏明氏による「マスクの着用はコロナ対策として非科学的」、「ＰＣＲ検査は検査方法ではない（?）」、その他不可思議なことを語っている動画がひっそりと残されています。ＹｏｕＴｕｂｅ上で運営に削除されてしまった動画らしく、「削除される内容があるかどうか是非ご確認ください」と動画の紹介部分に書いていますが、普通に削除される内容ではないかと思います。

殺処分された犬や猫はペットフードにされている!?

吉野氏、本業は歯科医で量子波動測定器メタロトンを推奨していて、それについての著書もある人物です。あくまで歯科医師であって医師ではないというのもポイントですね。波動療法というのは疑似科学などを追及している人たちの中でトンデモ療法として知られているもので、メタトロンに関しても科学的な立証はちゃんとなされていません。メタトロンに関しても、例の「大資本の弾圧で隠されていた」という陰謀論がありますが、直接関係ないので触れません。

Ｆａｃｅｂｏｏｋでは、コロナワクチンには胎児の遺伝子がインフルエンザワクチンと同じように入っているから危険だと主張しています。胎児だと主張していないところに歯科医らしい科学的な見解を感じたいところですが、ワクチンには胎児も胎児の遺伝子も使われてなくて、ワクチン開発時に胎児の細胞が使用されただけです。

その他、歴史的事実を無視した、小麦粉は戦後にアメリカから入ってきたという珍説（結論として、だから日本人には不向きなので食べない方がいい）を主張、殺処分された犬や猫はペットフードにされている、日本人にはユダヤ人の血が40パーセントぐらい入っている、日本人はどの遺跡を探しても殺し合いの痕跡がないといった各方面に対してトンデモ発言を繰り返しています。

小麦粉に関してはＴｗｉｔｔｅｒ上でも多くの人に突っ込まれていたのですが、参政党の候補にはパン屋を営む人もいました。そのパン屋を営んでいる渡辺知彦氏の主張は、バイオテクノロジーで開発されたアメリカ産小麦・化学肥料・小麦輸入工程における有害物質の混入・中国産の輸出向けパンなどへの疑念を示し、安全な国産有機小麦によるパンづくりを訴えるものでした。極端な有機農業信仰がうかがえたり、マーガリン＝プラスチックという間違った情報が含まれていたりするものですが、それと比べても吉野氏の主張は変です。

また、神谷氏は大きなピザを食べようとする画像をネットにあげていましたが、国産小麦でつくられた生地だったのでしょうか？　そうでなければ、吉野氏の主張、渡辺氏の主張の双方に照らしあわせて考えても、そのピザは危険な食べ物であり、党内のコンセンサスもとれてない状態ということになります。

そういえば、科学に関する数々のトンデモ発言や、『虎ノ門ニュース』のレギュラー出演者だったり、愛知の大村知事リコール運動の応援団に当初加わっていたことで名高い武田邦彦氏も参政党の比例区支部長であり、吉野氏と武田氏が中心になって参政党のコロナ政策について考えているという話を知ると不安になってきます。この人が党代表の一人だということの意味を噛み締めるべきではないでしょうか。

ＷｅｂサイトＴ上の動画で大量にＹｏｕＴｕｂｅの動画を削除されたことを言論弾圧であるかのように怒っていましたけれど、これまでの発言から考えるに単なる規約違反が原因による削除だったとしか思えないのですが。

松田学・神谷宗幣の主張

党の現在の代表は元財務官僚で元衆議院議員（維新から出馬）の松田学氏です。わかりやすく、反ワクチン・反マスク・原発推進・夫婦別姓反対・反グローバル主義な人物です。

その彼ですが、街頭演説でナチスのプロパカンダに基づいた情報をもとにロシアのウクライナ侵攻とドイツのポーランド侵攻を比較していたといいます。ヒトラー（プーチン）を支持するわけではないがポーランド（ウクライナ）と背後の米英（欧米）にも悪いところがあったという比較をしていたわけですが、もちろんポーランド侵攻の件に関する説明はナチスのプロパカンダによるデタラメな話に基づいてるわけで。

正直いって参政党関係者のトンデモ発言は多すぎて把握しきれません。党副代表の神谷氏からは、いかにも右派らしい発言（戦後の日本はGHQによって洗脳された の類）、マスコミは嘘つき、トランプはマスコミ批判をしたから潰されたというような発言が目立ちます。マスコミ批判はネット層を取り込む上で鉄板であるという認識

参政党の松田学。

がうかがえますね。参政党が陰謀論者の集まりのように言われるのを不服として、マスコミのレッテルばりだとして反発していますが、陰謀論だと言われても仕方がないような偏向を感じます。

彼に関して、スピリチュアルや疑似科学の方向に対しては、はっきりと踏み込んだ発言は今のところ自分は発見していません。だから、他の人間の発言にどこまで賛同しているかは、小麦の問題に関してさほど重要視していないだろうというぐらいしかわかりません。ただ、問題だと思ったら、党として何らかの注意をして発言を控えさせるのではないかと思います。そう考えてみると、神谷氏も党員のそういった発言を、彼自身が信じているかどうかは別として、問題だとは思っていないのがうかがえます。彼がどう考えているかとは別に、そういったスピリチュアルな発言で人が集まってくるのは容認しているということなのではないでしょうか。

そもそも、もともと神谷氏の人脈の中にはスピリチュアルや疑似科学と関わっている人間がいることが言われています。神真都Qもエデン創りで有機農業を訴えていたし、全般的にそういったカルト的ものと親和性の高い主張が多いですね。また、参政党の主催する講座の講師にはケント・ギルバート氏、竹田恒泰氏のような職業右派というべき面子も招かれています。知れば知るほどカルトめいていて、そういった面での危険度は維新やれいわのような新興勢力、今までの泡沫極右政党と比べても桁違いに高いと思います。そういった政党から実際に議員が当選してしまったわけです。

真面目でさわやかな感じが嫌な気分にさせられる

N国のように面白を打ち出すのではなく、真面目でさわやかな感じを打ち出しているのも、党員たちの発言を知ると逆に嫌な気分にさせられてしまいます。右派政党が勢力拡大のために相互に矛盾した主張を伴うスピリチュアル層や陰謀論層を寄せ集めた結果が現在の参政党の状態です。彼らを支持している人たちが、それらの主張を全て支持しているかというと別の話でしょう。

彼らの支持層のメインは「既得権益」を持っていると自分たちが考えているものに対する反対勢力として参政党を支持しているのだと思います。個々の細かい陰謀論的な話はどうでもよくて、「奴等」と戦う党だから支持しているだけで、人によって「奴等」の内訳も違ってるでしょう。そういう構図にスピリチュアルや陰謀論の支持者も入り込める余地があり、党として積極的にその層を取り込んでいったのでしょう。自民党の支持団体に日本会議・神社本庁・世界平和統一家庭連合というそれぞれの主張に対立する要素がある団体が仲良く肩を並べているののスケールの小さい版ですね。参政党にも世界平和統一家庭連合やその分派との関係がささやかれていますが、これも実際どうなんでしょうね。

神真都Qの主張が各種陰謀論の粗雑なパッチワークだとしたら、参政党の実体は現政権・現社会に不満を持つ保守的な傾向を持つ一点で繋がった異なる主張の人たちの同床異夢の寄り合いといった感じではないでしょうか。

第五章　小林よしのりの迷走『コロナ論』

ご都合主義の『コロナ論』

新型コロナ禍に世界が覆われてから2年半以上が過ぎようとしていますが、コロナ絡みの発言や行動によって評価が下がってしまった人間の日本代表の一人といえば漫画家・小林よしのり氏になるのではないでしょうか。

神真都Q的なオカルト・陰謀論に寄りすぎない程度の、社会性をギリギリ保った「コロナの感染症としての脅威はインフルエンザ以下」「単なるマスコミの過剰報道によるインフォデミック」「マスク不要」「ワクチン効果否定」等、正統派「コロナはただの風邪」発言を繰り返しており、「コロナはただの風邪」派の代表選手の一人といってもいいと思います。

小林氏の人命よりも経済を優先すべきという意見は一つの意見としては成立するものです。それを受け入れるかどうかは別として。ただ、それに固執してゴリ押しするあまり非常に片寄った見方に陥っていった節はあります。

また、日本社会における同調圧力の問題、政府の自粛要請と人権に関する問題には納得できる部分がある人も多いのではないかと思います。しかし、彼のコロナに関する意見を押し通すために持ち出されているだけで、どこまで深く考察されたものなのかは疑わしくも見えます。

彼の著作『コロナ論』シリーズには多くのデータが取り上げられていますが、自分の意見にとって都合のよいデータだけを取り出しているという意見もあります。新型コロナに関する研究も多くとりあげられていますが、現在でも新型コロナに関する研究は途上であり、相反するような内容の研究も当然存在するのですが、氏の都合のよいものを選んで採用しているようです。**コロナに対して考えていこうというコンセプトというよりは、小林氏のコロナに関する主張を世に届けるための本ですから、小林氏の意見を補強するようなものしか採用されないのは当然といえば当然ですが**（余談ですが、映画配給業者の叶井俊太郎氏がオンライン書店ｈｏｎｔｏのサイトで小林氏の『コロナ論』を大絶賛。叶井氏といえば、反ワクチンで知られる漫画家の倉田真由美氏の配偶者であり、コロナを巡る陰謀論を巡って不和になる家庭の話もあるようですが、ここは夫婦で一致しているようです）。

小林よしのりの『コロナ論』。

例えば『コロナ論』5巻第10章。当時ワクチン接種率80パーセントを超える韓国で重症者が増えたことに触れ、また、ワクチン接種率の低かったインド、インドネシアのデルタ株の爆発的な流行がピークアウトして収まっていったことを集団免疫によるものとし、ワクチン不要であり、自然免疫を損なうことで感染者がかえって増えるという見解をしめしました。

しかし、インドもインドネシアもロックダウン政策をとっていたし、何もしてなかったわけではありません。これは氏の原稿が描かれた後の話ですが、ワクチン接種率があがった後のデルタ株よりも感染率の高いはずのオミクロン株では両国とも感染者数は減少しています。ワクチン接種により感染率が増すという氏の意見は覆されたと考えることもできます。韓国のケースにしても、ワクチン接種をしていなかったら、より重症者が増えた可能性もあります。だから、氏の意見が正しかったことの証明にはならないと考えられます。

氏の主張が正しいとするための仮説は何度かその後に起こった事実によって証明がなりたたなくなっているのですが、その度に氏は新しい論拠となるものを持ち出しては当初と変わらぬ結論を主張します。氏が主張してきた集団免疫の獲得で解決するという話に関しても、それを獲得した国は未だにありませんが、氏はそれが既成事実のように語り続けます。また、入力される情報が変われば結論が変わっていくのが普通だと思うのですが、常に同じ結論です。

仮にコロナに対する医学的知見も深まり、医療体制も整ってきた現在の状況で経済優先政策をするようになったとしても、流行初期の何もわからない状況で経済優先政策をとるのとでは全然違うと思うのですよ。今だったら可能であることも、以前だったら不可能だったということは普通によくあることです。**今できるからといって、最初から自分は正しかったみたいに言うのであれば間違いではないでしょうか。**結果論でしかない。

あの時の状況下では間違った見解だった。現在の状況であれば正しい見解である。それだけのことでしかありません。それで自分が最初から正しかったと主張するなら、毎回同じことを言ってる予言者・占い師と同じです。そのうち現実と一致することがあるかもしれませんが、それで予言や占いが的中したと主張するのは変なのと一緒ですよ。

あと、テレビ朝日の朝のワイドショーでコメンテーターをつとめるテレビ朝日社員・玉川徹氏の影響力についても過大評価しすぎではないでしょうか。インフォデミックの象徴の一人として何度も取り上げて醜悪に描いてますが、コロナ報道で自殺者が増えたとしても玉川氏個人を取り上げて「間接殺人」を犯しているとするのは煽りすぎでは。小林氏らしい手法だとは思いますが。

ギャグセンスがズレている

科学的エビデンスを元に小林氏の個々の発言や主張を検証していくのは本稿のメインではありません。その辺の彼の主張に対する細かい検証は医療の専門家にお任せしたほうがいいでしょう。そういう専門的な部分はさておき、小林氏のコロナ絡みの発信は、漫画表現をはじめとするそのズレっぷりに本当にひどいものがありました。

コロナに絡めているからひどいのではありません。別にそれは対象がコロナでなくても、普通にダメなものが多いでしょう。**たとえば、小林氏が自身を『風の谷のナウシカ』の主人公・ナウシカになぞらえた時にも、引き合いにだしてるのに内容をちゃんと把握していないというのが明らかでした。**そういう、いい加減なものが多く見られるのです。

氏の感覚が社会とズレていておかしな感じになっているものもあれば、漫画技法として古すぎて、ギャグでわざとやってるのか本気でやってるのか判別がつかないものも数多くあります。そういったものをいちいちあげていってもキリがないので、とりあえず氏の感覚自体がズレている例を２つほどあげてみようと思います。

『週刊SPA!』2021年1月12日・19日合併号に掲載された連載『ゴーマニズム宣言』において、新型コロナウイルスを擬人化し、可愛いキャラクターとして描いている小林氏。

語尾まで「なんとかだコロ」みたいな可愛い感じにして、新型コロナは老人もあまり殺さない優しい存在だとウイルス自身に主張させたりするわけです。あれを見た人が「コロナは優しい！　そんなに悪いウイルスでないよ！」とか本気で考えたりするわけはないと思うのですが。まあ、ある程度はスベリも意識したギャグなのかなとは思うのですけど、あれを見て面白いと感じる人がどれだけいるのか疑問です。

「コロナはインフルエンザ以下」という小林氏の主張を考えたとしても、実際に死者や重症者は出ているのは事実です。死者の家族・友人や重症化して死ぬような思いをした人は笑えないでしょうし、腹が立つでしょう。当事者でなくても呆れたり怒ったりする人は多くいると思います。本書を書くために再読したのですが、自分の知人に死者が出たり、コロナ後遺症で1年以上苦しんで普通の生活も送れていない親族も出たりしたので、余計に不快に思いました。他の病気で考えてみればわかると思うのですが、いくら死亡率が低くなったからといってHIVくんみたいな可愛いキャラを描いてもドン引きされるだけではないでしょうか。氏に対する嘲笑をおこすことには成功したかもしれませんが、それでは仕方がないでしょう。

よしりんのコロナが妻と愛人に感染!?

嘲笑すらおきないような例もあります。『週刊FLASH』2021年8月17日・24日合併号での連載『よしりん辻説法　恋愛論』で描かれた、どういうつもりで書いたのか理解に苦しむエピソードです。

去年（2020年）、自身がコロナにかかった時に妻にわざと咳をあびせたら妻に感染、喧嘩になったのでホテルで愛人と会ったら愛人も感染、愛人にコロナだと知っていたのに黙ってたことを詰られたら、そちらが浮気したのではないのかとなじり、愛人と別れたという内容で、事実かどうかもわからないのですが、事実であろうがなかろうがひどいとしか言いようがない。

コロナではない軽い病気だったとしても、わざと妻に感染させたあげく、体調を崩した妻をほったらかしにして家を出て愛人と会ってるなんて、普通に人間性が疑われるような行動ですよ。その上、自分が悪いのに愛人のせいにして責め立てている。コロナ要素を差し引いたところで、いいところなんて一つもないんですよね。コロナを恐れない男らしい自分をアピールするエピソードとして描いたつもりなのかもしれませんが、モラルが欠落しすぎていて、そういう話として機能しておらず、嘘でも本当でもドン引きされるだけでしかないと思います。

コロナに絡めたために狂気の沙汰になっていますが、コロナでなくても異常な話ですよ。氏は何度か漫画内で自分はコロナにかかって治ったという主張（それでも今は元気である。コロナは怖れる必要はないという主張のためであると思われる）をしているわけですが、別に検査に行く様子はなく、単なる自己判断です。いい加減すぎではないでしょうか。

いつもの逆張りが失敗した？

『ゴーマニズム宣言』以降の小林氏は、ギャグ漫画家として培ってきた常識から脱するセンスで世間で当たり前とされていることに異議をとなえて物申すことで成功してきた人間だと思います。

言論界の主流が左寄りだったころに右に寄っていったのも、ネトウヨ全盛期にネトウヨを批判するのも、逆張り体質というか、へそまがりの発露だと思うんですよ。陰謀論にはまりやすいタイプのミュージシャンの一例に似てる気がします。反骨の間違った方向性というか。そこに義憤と私怨と虚栄心が絶妙なバランスで加えられて成り立っていたのが、かつての小林氏の仕事なのではないでしょうか。

小林氏が「コロナは風邪派」になったのも、その程度の話でしかないのかもしれません。いつものへそまがりの逆張りでかっこいいところを世間に見せようとしたのが失敗したものの、今さら間違いを認められなくて、無理矢理かっこつけて、無理があるから根っこからズレてるような発信ばかりやらかしているのが氏の現状かもしれません。本気で信じてるなら、氏の講演会などは客席マスク無しでやればよかったのではないでしょうか。

無条件に氏の発言を受け入れる層と、自分にとって都合のいい現実しか見たくない・コロナが脅威でない現実を切望している層にしかアピールできなくなっているのが現状です。いや、今までも構造的にはそうだったのでしょう。氏の逆張りを自分の都合のために必要としている層が多かったのと、逆張り意見に飛びつきやすい若者を上手く惹きつけることができていたということでしかなかったのではないでしょうか。それが時代とズレだして、どんな議題を扱っても話題になることが減り、氏と絡む人たちも年々知名度の低い人が中心になっています。

その決定打が新型コロナの蔓延に関わる言説だったのかもしれません。新型コロナという多くの人が体感している身の回りに差し迫った現実の前では、その逆張りも空回りしてしまっています。『戦争論』前後の机上の空論を弄んでいるだけで喝采をあびられていた時代と違い、今回は多くの人の生死に直結しているのだから。

ＹｏｕＴｕｂｅアカウントが停止されたのは自分が事実を言っていて影響力が強いからだと主張していましたが、ＹｏｕＴｕｂｅ運営がコロナデマに厳しいからでしかないことを本当はわかっているのではないでしょうか。だけど、今までの発言は間違ってましたと言うのは、今まで氏のコロナ発言を支持してきた人間が許さないだろうし、なにより間違いを認めることなんて氏のプライドが許さないでしょう。かといって、このまま進んでも信用を失っていくだけです。現在蔓延しているタイプのコロナに関する非現実的な陰謀論の世界に足を突っ込むことも氏のプライドは許さないでしょう。進むも地獄、退くも地獄という地点に氏はいるのかもしれません。

そうは言っても、氏の言説の影響下で発達したネトウヨ的なものも、あっさり切り捨ててしまった小林氏。コロナ関係にも、あっさり知らんぷりを決めるのかもしれません。

第六章　陰謀論に騙されがちなミュージシャン

陰謀論でいっぱいのいいね欄

コロナ禍の中、コロナやアメリカ大統領選挙に関するQ発祥の陰謀論に感化されたとおぼしき発言をするミュージシャンたちがＳＮＳ上で話題になり、ミュージシャンは陰謀論にはまる人間が多いのではないかと一部で言われています。

自ら積極的に発信している人もいれば、ＳＮＳではそういう話はしないもののイベントでは話していたり、Ｔｗｉｔｔｅｒのいいね欄がそういうもので埋まっている人もいます。知人にも、本人は直接つぶやいたりはしないのですが、いいね欄が陰謀論とネトウヨ発言で埋め尽くされるようになった人がいて、実際どうなのかを聞けるほど親しくもなく、不安な気分になっています。

コロナ禍の中でQ発祥の陰謀論に触れて目覚めたにわかばかりではありません。スピリチュアル系の陰謀論めいた独特な発信をしている人や、古くから続く旧来からの政治的な陰謀論を唱えている人、3・11のショックで陰謀論者になった人など、ミュージシャンとしても陰謀論者としてもキャリアの長い人たちもいます。

話題になっているのはある程度以上、名が売れている人たちだけであり、実数はその何十倍にも及ぶのではないでしょうか。ネトウヨ系、スピリチュアル系の捏造情報を信じている人まで含めるとさらに総数は膨れ上がってくると思いますが、陰謀論信者にそこらへんまでを含めるのは少し違うような気がします。

ミュージシャンは別に知的というわけではない

なぜ、ミュージシャンに陰謀論者が多いのか？　それについては、すごく単純な話で説明がつくと思います。ミュージシャンは別に特別な人間ではない、ただの普通の人だからです。

ミュージシャンという存在は楽曲やステージで評価され、人々に愛される存在であって、それ以上でもそれ以下でもありません。専門外のことについては特に知識がなくても全然不思議はないわけです。音楽のこと以外に関する知識は世間の平均以下という人だって、当然います。それはそうでしょう。自分の仕事に関することは熟知しているのに政治・歴史・自然科学については全然知識がない人なんて、別に珍しくはないですよね。ミュージシャンだってそれと同じですよ。**どんなに有名で尊敬を集めていようとも、何かについて専門的な知識を持っているわけではないし、深い知性を持っているとは限らない**ということです。

ただ、ミュージシャンに陰謀論者が多いようにネット上で感じられるのは、同じことをSNS上のフォロワーが少ない普通の人がやっていても話題にならないけれど、ある程度以上人気のあるフォロワー数がいるような人だと目立つから話題になりやすいという部分もあると思うんですよ。こういう話をすると「そんなミュージシャン知らない」みたいなことを言う人が絶対に出てくるわけですが「あなたが知ってようが知らなかろうが話に関係ないから黙ってて」としか言いようがないですね。

近所の魚屋の主人が陰謀論めいたことを喋ってるとSNSに書いたとしても、そんな知らない人の言っていることなんて、よほど内容がとっぴでなければ別に話題にならないわけですが、ミュージシャンだとたいした内容を言ってなくてもファンや名前を知っている人の間でそこそこ話題になるわけですよ。クラプトンなんかが言ってること自体は別の人が言ってたら大きな話題には絶対ならないでしょう（詳しくは後述）。

陰謀論発言をどうどうとしているミュージシャンを見ると、マイナー系まで含めるとパンク経由の音楽やＨＩＰ ＨＯＰ等の反権威だったり自分の意見を表明したりすることが尊ばれるジャンルの人が多いですね。どこの誰だかはっきりしている状況で、どうどうと主張して目立つから話題になりやすいのはあると思います。

なんでもCIAのせい

ミュージシャンの中の陰謀論者の割合が世間に比べて特に高いとは思いませんが、音楽や音楽に携わる環境の中には陰謀論との親和性の高い部分もあります。

ロック以降のポピュラー音楽の世界は演者の個性が評価される世界です。人と違った感性を持っていることが作品の結果につながりやすいというのもあり、ある意味、変人や奇抜な発想が尊ばれる世界です。ジャンルにもよりますが、世間的には受け入れられないような奇行が伝説として持て囃されるようなところもあります。

常識を疑う心。反骨精神。そういったものが表現活動をやっていく上で重要な要素になっていることも多いです。人前に立って何かやろうと思うぐらいですから、目立ちたがりの人も多いですし、見る人へのサービス精神が豊富な人もいます。ミュージシャンというものは、そういった要素のいくつかを多かれ少なかれ確実に持っているわけです。しかし、こういう要素は、まかりまちがうと陰謀論の方にたやすく向かいがちな要素でもあります。

ポピュラー音楽のミュージシャンのこういった古典的な美点とされる要素は、単なる逆張りの方向に向かいやすいんですよね。

創作の中で常識を疑って新しい価値観を見出だすことは素晴らしいですし、日常の慣習とされているものに疑問の目を向け、その不合理性や欺瞞性に気づくことも意味があります。しかし、多くの人間が長い年月をかけて検証してきたようなもの、たとえば地動説みたいなものを疑いだしたら、さすがにどうかと思うわけです。感性ベースで常識を疑ってると最終的には、そんなことになりかねないんですよ。

なんだかんだ言って、知識の習得と検証を重ねることで、はじめて常識とされていることが本当に正しいのかどうか判断できるわけです。対象が大きくなればなるほど、その作業は大変になりますよね。そういう非常にめんどうくさい過程を経ないで、感性だけを元に判断しようとしていたら、自分の考えを補完してくれているように見える陰謀論にひっかかってしまいやすいんですよ。

昔、知り合いのバンドマンにＣＩＡ陰謀論をよく語る人がいました。アメリカ政府のやり方に反対意識の強い人で、そこからＣＩＡ絡みの謀略を意識するようになったのだと思います。実際にＣＩＡというものは国家間で謀略を企てたり、アメリカ国内でＭＫウルトラ作戦という洗脳実験をおこなっていたりという事実が判明していますが、その全貌が明らかになっているわけではありません。そういう事実と事実の隙間に仮説が入り込んでいくわけですが、陰謀論だと言い切ることはできない話も色々あります。そういう話は全然普通にできます。

しかし、実現不可能なレベルの壮大な謀略だったり、ささいな日常の流行や偶然でしかないような出来事に対して何でも背後のＣＩＡの関与を疑ったりされると意味がわからなくなってくるのですよ。常識の範疇で聞ける話として会話していたら、いきなり一線を踏み越えてきたりするので、たいへん困った覚えがあります。ＣＩＡも万能ではないし失敗に終わった計画もあるんだから、無理があります。陰謀論を支持する人にありがちなんですが、相手の力を過剰に評価しすぎですよね。

ふざけて陰謀論にのっかる

弱者に対する不当な権力の行使に反抗するような反骨精神も素晴らしいことです。しかし、反骨精神といっても優勢な方に見える方に反対するとかいうレベルの逆張り精神でしかない場合もあります。

こういうのも感性ベースでやっていると、実際はマイノリティで不当に攻撃されている側をネットで積極的に発信している声が大きく見えるというだけで権威のように感じてしまい、反権威のつもりでマジョリティー側に肩入れしてしまったりするんですよね。そういった対立構造の中では、マイノリティ側に対するデマやそれに紐づけられた陰謀論が湧いてくるわけで、そういうのに引っ掛かったり。

ミュージシャンの美点みたいなものはあくまで感覚的なものが重要視される創作の世界だから美点になるわけで、現実の問題に対して、それを判断できるだけの知識もないのに否定したり、多数派が気にくわないからという感覚で反対していたら、自分が気持ちいい間違った知識に取り込まれる可能性が高いし、そうなると陰謀論の方に近づいてしまいますよね。こんな振る舞いを現実世界でもしてしまうのは、目立ちたがり精神のせいだと思います。目立ちたいからやっちゃうというのは確実にあるんですよ。そういうのはステージや作品だけにしてほしいものです。

あと、ファンへのサービス精神として、そんなに信じてないのに面白いと思って深く考えずに発信している人もいると思います。知人にもいましたが、本当によく考えてほしいものです。

少し話は変わりますが、90年代のことですが真偽不明な陰謀論をもっともらしい顔で語る友人のバンドマンがいたんですよ。この人の場合は明らかにふざけてたんですが、その話を普通に感心して聞いている人もいたんですよね。

自分とかは笑ってネタとして聞いてたんですが、感心して聞いていたような人はどうしてるのでしょうね。あの頃は現在のように陰謀論が現実の出来事に大きく影響するなんてことは想像だにしていなくて、あくまで奇妙な人たちによる奇妙な主張であり、笑い事だったわけです。また友人間でおこなわれるクローズドな会話だったわけで、当時と同じ感覚でSNSで話すのは「それは無理！」というものです。

某ベテランミュージシャンの例

新型コロナとそれがもたらした生活の変化の影響でメンタルをやられてしまった人は多く、ミュージシャンも例外ではありません。コロナ禍によってライブができなくなり収入が途絶え、ライブ解禁後も以前のようには集客が戻らない状況が続いており、生活が逼迫した人や将来への不安を抱えた人も多かったでしょう。

陰謀論者だとSNS上で話題になったミュージシャンの大半が、コロナ禍以降にそういうものにハマってしまった人だと思うんですよね。以前からそういう傾向があったわけではない人も多いですから。そういった人たちはQアノン系の話をしているんですが、それ以前から陰謀論めいたものを好んでいた人もいて、最近の流れに影響を受けながらも、また別の方向性の陰謀論を説いていたりします。

最近、Ｔｗｉｔｔｅｒで陰謀論者を引退すると宣言したアンダーグランドで活躍するベテランのミュージシャンがいました。以前からの陰謀論めいたツイートが気になっていたので「ああ、よかったな」と思って、その発言以降のツイートを見てみたんですよ。

そうしたら、Ｑアノンや神真都Ｑみたいなものを否定しているだけであって、普通にグレート・リセットという言葉を陰謀論的な解釈で使ってたり、日ユ同祖論を信じてたり、Ｑ自体が体制側の陰謀（９割の真実の中に意図的に１割のデタラメな情報を入れた発信をさせることで、９割の真実を嘘だと思わせる）と考えていたり、何というか普通に古いタイプのオカルト系の陰謀論者そのものなので頭を抱えてしまったのです。

よく考えると自分のことを陰謀論者でないと考えていたから陰謀論者をギャグ的に名乗ってたわ

日ユ同祖論とは、日本人とユダヤ人が共通の先祖を持つ兄弟民族だとする説で、酒井勝軍が言い出した。

けで、自分の考え方が変だとは思ってないわけですよ。陰謀論者を名乗るのをやめると言ってるだけで、考え方が変わったとは言ってないので当たり前といえば当たり前でした。

彼に限らず、陰謀論にはまってしまってファンや周囲の人を困らせているミュージシャンというのは有名無名問わずたくさんいるんですよね。**周囲やファンの大半は「また何か言ってる。困ったなあ。基本無害だし、そっとしとこう」みたいな感じでほっておいてる人がほとんどだと思います。**

特にベテランになってくると年をとって頑固になっているわけで、変に刺激してへそを曲げられるとめんどくさいですもんね。また、明らかにメンタルの調子を壊している人もいるわけで、家族やよほど親しい友人でもなければ、たかだかＳＮＳの繋がり程度で、そういう人に無責任に接触するのも難しいですし。

それはともかく、そういった人たちの主張を周囲やファンが相手にしていなくても、ＳＮＳで発信することで、より社会に悪影響をもたらすような他人の持論を強化する役割をはたしてしまっているということは問題です。たとえ大きな局面に対する影響力は小さくても、個人がより深く陰謀論にのめり込むのを後押ししてしまっているんですよね。

SNSの出現で奇人・変人の位置付けが変わる

ほとんどの人がそういった発言にリプを飛ばすのを避け、見て見ぬふりをしている中、積極的にリプを飛ばしている本気の人たちもいます。そういう人を見てみると、何というか別のもっとマズイ感じの陰謀論を抱えている人だったりするわけです。知名度のある人間の発言ということが、そういった人を勇気づけ、陰謀論を補強してしまう役割を果たしてしまうんです。

ああいう人同士は会話が成立しているように見えても、それぞれのホームに行ってみると主張のベクトルが全然違うことも多いです。話しかける方が自分の論に都合のいい部分に反応しているだけなのです。

昔から陰謀論めいたことを言っていたり、どうも危ないのではないかという人はいたのですが、音楽の世界は変人を許容する世界ですし、特に実害がなければほっておかれてたんですよ。インタビューで何か言ってるのを読んでは陰で面白がったり、本人にそんな話をされても聞き流したり。よほど酷い差別に繋がるような発言をしなければ怒られることもなかったでしょう。

しかし、ネットの出現、さらにSNSの登場は小さなコミュニティの中で奇人・変人として容認・黙認されて生きていくという生き方をすればいいだけだった人たちの立ち位置を変えてしまうことになりました。
昔なら、小さなコミュニティの中で笑い話として消費されたり、無視されているだけだった話でも、今はSNSで世界中に届いてしまうし、本気で同調してしまう人が呼び寄せられたりしてしまいます。当然、内輪では「はいはい、ああいう人だから」で済まされていたような発言でも、外部に届けばそれでは済まされなくなる。これはミュージシャンだけの問題ではないのですが、知名度がある人、何か特別な職業に見える人が自分たちの活動・主張に賛同してくれるのを喜ぶ人っていうのがいるわけで、陰謀論者にもそういう人がいて、変に持ち上げだしたりするし、はたから見ると、よけいに印象が悪くなりますよね。しかも、以前だったら世の中に影響を与えない与太話ぐらいの扱いだったのが、直接社会に影響を与えかねない危険なものに変わってしまっているわけで、内輪での扱いも変化せざるを得ない。

SNSから来た知らない人が否定的な意見を直接ぶつけたところで、単に攻撃されたと思うだけですし、本人がよけいに意固地になってしまい、反発を招くだけでしかありません。陰謀論なんて批判されるものですけど、批判・抗議・訂正といったことだけではなく、作品の悪口や「売れてない」「知らない」といった侮辱的なことを発言とは関係ないのにわざわざ書く人もいます。

そんなことされて話を聞く気になる人間なんて、この世にいないと思うんですよ。本人の主観では善意でやっていることなのに、あからさまな悪意をぶつけられたら、頑なになるだけです。

絶対に謝りたくない人

知り合いでもファンでもない人にとっては危険な発言を封じたい・黙らせたいというのが目的として先にくると思うのですが、周囲の人・ファンにしてみたら、陰謀論の世界から帰ってきてほしいわけで、そこは違ってくると思うんですよ。そうかといって、放置しておいていいものでもなく、どうしたらいいものやら。

陰謀論に激しく傾倒してしまっている人の中にはプライベートで悲しい出来事が起こった時期を契機にそうなっていった人もいます。自分も一応ミュージシャンなんで、それなりに噂で聞くのですが、陰謀論を主張しているミュージシャンにもそういう人が多いです。悪い人でもなければ、おかしな人でもない、普通の人が何かのきっかけで少しずれてしまっただけで、そういった人たちが陰謀論に心の隙間に入り込まれてしまう。そういった人を変えることができるのは、環境の変化だったり、現実での信頼関係が形成されている人間との心の繋がりだったりするのでしょう。

しかし、環境が急に変わるわけでないのです。だから、どんな親しい人間でも、時間をかけて本人が気づくタイミングがくるまで見捨てずに根気よく待っているしか基本的にはないのです。ましてや、ファンの人たち、ネットでその人を見ているぐらいの関係性の人間に何ができるというのでしょう。どうしたものかと頭を抱えてしまうしかありません。

そういう同情的な部分がある人ばかりでなく、反骨精神をはきちがえた逆張りの末に陰謀論を撒き散らしている人もいます。本人の中に切実なものがないというか、単に引っ込みがつかなくなってるだけではないかという疑いは拭えず、Ｔｗｉｔｔｅｒに頻繁に現れる、絶対に謝まりたくない人と同質なものを感じてしまいます。

こういうのは本当にたちが悪いと思います。こういう人に限って、しれっと知らんぷりして元に戻って、過去のことを言われると「やめてよー、はずかしー」みたいに笑いに紛らせて誤魔化しそうな気がしてなりません。

差別！反ワクチン！でたらめすぎなエリック・クラプトン

海外ですと大物ギタリストのエリック・クラプトン氏の反ワクチンやコロナ対策としてのロックダウンに反対する発言が取り沙汰されています。ワクチン接種後の副反応によってギタリスト生命が奪われるかもしれなかったと思ったことから、反ワクチンになったそうです。

彼は以前から手に関するひどい神経症の症状を訴えていたので、副反応もそこに大きく出たでしょうし、医者もその可能性を説明するべきだったのでしょうが（したのかもしれませんし）、疾患のある人にワクチン接種を義務付けることに対して問題提起（実際、そういうふうになるだろうし）するのならわかるのですが、ワクチンを打とうとする人たちを全体的に批判するのは少し違うような気がしませんか？

彼にはライブ中に酔っぱらった状態で非白人系移民に対する人種差別発言をした過去などもあります。そんなことを言えばよけいに怒りを買うだけなのに、本当に面白いジョークだと思って言っただけで差別意識があったわけではないという言い訳を繰り返し、誤魔化すにしろ本気にしろあまりにひどすぎます。

親友の妻を寝取るとか、知らない女性の電話でわざわざNYまで行き妻との復縁のため謎の儀式（その知らない女性との性交含む）をしたり、色々なエピソードから考えると、基本あまり深く考えて発言したり行動したりしない人なのでは。

クラプトン氏に先駆けてコロナ対策に反対していた大物ボーカリストのヴァン・モリソン氏のロ

ックダウンに反対する曲にも参加し、インタビューでロックダウンに反対するのは個人の自由みたいなことも言っています。ヴァン・モリソン氏は偏屈で独自の信念（迷惑ですが）がありそうですが、クラプトン氏は感情的に勢いで反対してるように感じるんですよね。ローリング・ストーンズのキース・リチャーズ氏はローリング・ストーン誌のインタビューでクラプトン氏の反ワクチン発言に対して聞かれた際、個人的に彼のことは好きだと述べた上で「考え直して欲しい。正しいことをしよう」と発言しています。

この言葉がクラプトン氏に届くといいですね。

第七章　ガーシー的ありかた

ガーシーの誕生

ＮＨＫ党から比例で出馬したガーシーこと東谷義和氏の２０２２年の参議院議員選挙当選に衝撃を受けた人も多くいると思います。

詐欺疑惑を告発され、ドバイに逃亡している人間。ＹｏｕＴｕｂｅの自身のチャンネルでの多くの芸能人に対する暴露配信の結果、複数の芸能事務所から法的措置の検討を公言されている男。そんな人物が国会議員になることを誰が想定していたでしょう。本人やＮＨＫ党すら話題づくりのための出馬くらいにしか思ってなかったのではないでしょうか？

ガーシーこと東谷氏とは自動車販売業、バー経営などを経てアパレルブランドを立ち上げた人物であり、島田紳助氏、ロンドンブーツ1号2号の田村淳氏をはじめ、多くの芸能人と交流を持っていました。その後、事業を譲渡。本人はギャンブルにはまり、バカラ賭博などによって巨額の借金を負うことになってしまいました。

金に困った彼が手を染めたのが、誰々に会わせると称しては礼金を受け取り、実際にはそれを履行しないという行為です。複数の女性に「ＢＴＳに会わせる」と持ちかけた手口のものに関しては、現在は示談が成立しています。

21年12月に有名ＹｏｕＴｕｂｅｒヒカル氏が、自身のチャンネルで東谷氏を実名で告発（ヒカル氏をブッキングすると持ち掛けて金を受け取ったが実行せず。そもそもヒカル氏は話すら聞いてなかったという件があったらしい）。この動画が世に出たことによってＢＴＳの件などが表に出ることになります。

これに対して、東谷氏が自身のＹｏｕＴｕｂｅチャンネルを開設。ヒカル氏の動画によって社会的信用を失ったと怒りの動画をあげます。その開きなおった態度に批難が集まります。

逆風にたっていた東谷氏がわずか半年あまりの期間で国会議員にまでたどりついたのは、自身のチャンネルで芸能人の暴露話を繰り広げたのが発端でした。

芸能界にワイドショーがあるように、ＹｏｕＴｕｂｅｒの中には暴露やゴシップを扱うＹｏｕＴｕｂｅｒもいます。コレコレ氏などは、そういったことで知られる有名ＹｏｕＴｕｂｅｒです。彼の元には色々な情報が集められ、当事者からの相談も後を絶ちません。彼が扱っているゴシップの登場人物は基本的にはＹｏｕＴｕｂｅｒやＳＮＳの有名人ですが、そういった人物との関連から芸能人などの話が出てくることもあります。

有名暴露アカウントによるゴシップの扱い方ですが、既存のメディアに比べて大きな規制がない世界だけに生々しい掘り下げがされています。ですから、芸能界の外部の人間であるため、芸能界に関わる話をしても、利害関係・力関係による影響を受けません。また、既存のメディアと違って密接な利害関係が生じていないため、芸能事務所側がＹｏｕＴｕｂｅというプラットホーム自体に圧をかけたり、忖度してもらうこともできません。

そういう面を最大限に利用したのが「ガーシーチャンネル」です。財産がなくなったことで見限られたタレントに対する復讐としてはじめたのか、ビジネスとしての成功を目指していたのかはわかりませんが、既存のメディアでは考えられない内容の暴露がはじまります。

芸能界を震撼させるガーシー。

東谷氏のかつての芸能界と深い繋がりの中に、芸能人に対するアテンド業があります。アテンド業とは何なのでしょうか？　これは、芸能人の飲み会をセッティングしたり、芸能人に接待する女性を斡旋したりする仕事だということです。27年間にわたって、芸能人のアテンドをしていた時に見聞きしたことが暴露動画に生かされることになったわけです。

ガーシーの目的とは

その暴露が話題となり、東谷氏も一部で支持を集めるようになりました。氏の暴露に対する、芸能人側の反撃記事が週刊誌にでては、再暴露による反撃がおこなわれます。こういった流れを痛快なものとして面白く感じる人も多くいたでしょう。

三浦春馬氏の件に絡んでネットでは悪役扱いされることもある城田優氏に関する暴露もあり、そっち方面の人がそういう観点で話題にしていたりもしました。

なんというか、個人的には東谷氏が一部で英雄視されていることが理解し難く思っています。彼のことを強大な権力に立ち向かっているイメージで語る人もいますが、何かを正すために告発しているわけではないですし、**金銭目的か私怨による嫌がらせのように見え、**アテンドを通して彼自身も関わっていたものは共犯といえば共犯でもあります。また、彼の暴露の全てが真実かどうかもわからないわけです。

いくら示談が成立しているからといって、ああいった行為に手を染めていたことで、モラルに疑問を持たざるを得ず、国会議員として相応しいとはいえません。幻冬舎が彼の本を出版したわけですが、売れるかもしれませんがさすがにどうなのでしょう。

東谷氏が国会の内情を暴露することを期待している人もいますが、今まで一般人で政治と関わりがなかった人間が小党の議員になったところで暴露するほどのことを知ることができるとも思えないのですが。任期を無事務めれば、それなりに暴露するようなことも知るかもしれませんが、まだまだ先の話ですし。

そもそも、その暴露に何の意味があるのかという話です。

東谷氏を支持する人は40代、50代が多かったといいますが、彼らは本当は何を期待していたのでしょう?

東谷氏のような人間が当選することで世の中が驚いたら面白いということでしかないような気がします。気に食わない奴等をへこましたい、その様子を見て勝った気分になりたい。そういった感情ではないでしょうか。芸能人の暴露に関しても、暴露された事実自体よりも恵まれた奴等の醜聞が晒されたことを喜ぶ層に支持されていたのではないかとも感じます。

東谷氏に本気で建設的な期待をかけている人などほとんどおらず、愉快犯的に支持を受けたのではないでしょうか。それはトランプ氏に対する支持にも似ているように感じます。

とりあえず、BTSの名を利用した件については示談済みですすし、賭博は現行犯でないと逮捕が難しく、ヒカル氏によるとヒカル氏の件の被害者が被害届を出したという話ですが、国会議員不逮捕特権もあるし、逮捕はないと思います。ヒカル氏の件の被害届が受理されたかどうかもわかりませんし。

ただ、名誉毀損の訴えが起こされる可能性もありますし、現在表に出てきてるもの以外に何かある可能性もあるので東谷氏が逮捕を警戒している可能性もあります。

日本の社会の荒みを象徴する当選劇だったと、後の世に評価されるようなこともありそうです。

80～90年代の芸能ゴシップ

ガーシーのゴシップは共犯による顔出しでの内部リークという意味合いがあるので信憑性が高いような雰囲気が出ているわけですが、昭和後期～平成初期の大手の週刊誌・女性週刊誌・写真週刊誌といったところ以外の媒体が出してくるアンダーグラウンドな芸能ゴシップというのはあくまで噂レベルであり、虚実皮膜の中にありました。

反権力志向の強い『噂の眞相』では、あくまで「こういう噂がある」という形で様々なスキャンダル記事を出していたわけですが、他が書けなかった本当のことをリークすることもあれば、芸能界という権威に対する敵意が先に立った捏造に近い記事であることもありました。タレントの人権より芸能界の腐敗を叩くことが優先という感じです。

新左翼系の出版社だった鹿砦社が88年に出版した元フォーリーブスの北公次氏による『光GENJIへ―元フォーリーブス北公次の禁断の半生記』は大きな話題になり、その後ジャニーズを筆頭に相撲協会、宝塚、プロ野球などを扱ったスキャンダラスな告発本を連発していくことになります。**北氏の著作は現代なら#MeToo運動的に評価されるものだったと思いますが、当時はジャニー喜多川氏のセックス・ゴシップとして消費されてしまった感があります。**また、北氏が出版にいたった経緯にはアダルトビデオ監督の村西とおる監督が関わっています。当時、村西監督がジャニーズのタレントのセックス・スキャンダルをビデオの宣伝に利用したことからジャニーズ事務所と揉めていて、それに対する反ジャニーズ的な動きの一貫ですね。

80年代後半から90年代はサブカル的に真偽不明なゴシップを扱う傾向が見られ、雑誌『投稿写真』の石丸元章氏の連載『ウワサを追いこせ！』は政治性を排除した都市伝説的なアイドルの噂が読者から投稿され、ＡＢＣラジオの北野誠氏・竹内義和氏の『誠のサイキック青年団』でも真偽不明なネタを元にトークを繰り広げられていました。

基本どうでもいい噂がほとんどな中に混じるスキャンダラスな話も真実のリークもあったのでしょうが、憶測から出た噂や妄想レベルのものが多かったでしょう。真実を知るとかじゃなく、適当な噂自体を真偽不明なままネタとして楽しむ感じでしたね。

80年代は芸能人が自分の名で書いた本の中に真偽不明のゴシップが書いてあったりする時代でしたし、大手メディアでも適当なゴシップが蔓延していました。徐々に業界の縛りがキツくなっても、アンダーグラウンドなメディアでは変わらず適当なことを言えていたという話です。

そういうサブカル的な噂ブーム以前から一般に出回っていた芸能人の性に関する噂の定番、某女性芸能人がセックス中に膣痙攣で救急車で運ばれたとか、空港の荷物チェックでバイブレーターが見つかったとか、あのアイドルはスカトロだとかいう噂に関しても「誰が見てたの」という感じで非常に雑なんですが、なんで信じてる人が多かったんでしょう。

こういった噂の一つを、知り合いの目撃談、体験談という形で、それぞれ別の友人から、別系統のルートで話を聞いたことがありました。後日、体験したということになっている人にも直接会う機会があったのですが、その人に直接聞いてみるデリカシーのなさはさすがになかったです。本当でも嘘でも、そんな話できるわけないじゃないですか。

テレビや紙媒体が力を持っていた時代はゴシップ記事に関わる人はおろか、告発をする人も現代以上に軽蔑されることが多い時代でしたから、ガーシーのような人が持て囃される昨今とは時代の隔たりを感じますね。

稀代の怪物・細木数子

細木数子のような存在がテレビの地上波のゴールデンタイムの番組に頻繁に登場しスターであるかのように扱われていた時代があったということを考えると、あらためて不思議な気分になります。彼女は反社会勢力と密接に関わる世界から芸能界の裏側に入り込み、占いビジネスで成功するなどの過程を経て、表でスターになった例です。00年代の中でも特異な存在だったと思います。

私が細木氏を最初に認識したのは、新聞などで見かける、うさんくさい占い広告の写真に映っている人としてでした。そんな怪しい人物が、気づいたらテレビで芸人に対して高圧的な態度で適当なことを言ってる、何だか知らないけど偉そうな人になっていたのです。言ってることにも感心しないし、態度が偉そうで不快でしかないし、何でテレビに出ているのかも謎。そんな存在でした。

当時は、溝口敦氏のルポルタージュ『細木数子―魔女の履歴書』に書かれているようなことはまだ知らなかったわけですが、占いビジネスに対する批判はスピリチュアル業界好き（スピリチュアルが好きな人ではなく、スピリチュアル業界の話が好きな人）の詳しい人から聞いていたりはしました。

過去の反社会勢力との関係。島倉千代子氏に対する搾取と見なされるような行為。オカルトビジネスの手法。どれをとっても、今の時代ではあのような形でスターになれるわけがない要素ばかりですが、それとは別にあのようなキャラクターが人気を博していたことが当時から不思議でならなかったです。普通、あんな高圧的でめちゃくちゃなことを言って自分を従わせようとする人に日常で会うことがあったら絶対嫌でしょう？

そうはいっても、力強く断言してくれる人が好きな層はいつでもいるわけで、歯に衣を着せない毒舌でスカっとさせてくれる存在としてニーズがあったのでしょう。21年11月に亡くなったときには、SNS上では訃報直後とは思えないくらい悪い話が飛び交ういっぽう、「好きでした」という人も多くいたのです。そういう人は細木氏の詳しい履歴は知らず、テレビの印象だけで語っているんでしょうね。そもそもテレビ上の振るまいを好意的に受け入れていた人がそんなに多いことに改めて驚きました。だいたい、細木氏が偉い立場で番組に出てくることに「この人は何の根拠でこんなに偉そうなのか?」という疑問がうかんだりしなかったのでしょうか? まあ、そういうことを言うと、「テレビをそこまで真面目に見ている人はいない」ということを言われるわけですが、確かにその通りであります。

番組をつくる側もそれくらいの感覚でつくっていたのでしょうけど、テレビを通して細木氏を知って占いの信奉者になり、お金を落とすようになった人もいるわけで、ああいうオカルト的に脅して人の心の隙間に入り込むようなビジネスのやり方はたちの悪いものだと思います。単純に心霊話を真偽を別にして楽しむようなものと、占いや宗教的な信奉を求めるものは、スピリチュアル・オカルトといっても違うものなわけで、スピリチュアル・オカルト的なものを全否定しろとは思いませんけど、メディアが人の欲や心の弱味につけ込む信奉者ビジネスを利するような取り上げ方をするのはやはりよくないことだと思います。

スピリチュアル・オカルト的なものをテレビメディアが取り上げることは現在は減ってはおり、社会全般的に昔よりは風当たりが強くなっています。しかし、ネット上では荒唐無稽な陰謀論が流行し、それを利用したビジネスも後を絶ちません。善意の人々が陰謀論に絡みとられて陰謀論ＹｏｕＴｕｂｅｒや神真都Ｑのような団体に金銭を巻き上げられたりする構図は細木の占いビジネスに似ていますが、より社会性を損なう方向に向かっていて、事態は悪化しているのかもしれません。焼き畑農業みたいになって、より刹那的な感じがしています。

母が売春宿を経営していたことから、そこで働く女性たちの管理に幼い頃から携わっていたという細木氏。そういう環境で育っていくことで、飴と鞭を使って他人を搾取していく生き方を自然と選んでしまったのかもしれないなと思います。また、働かされている女性からしたら細木氏は加害者ですが、同時に親の教育の被害者でもあります。子供は親を選べないし、親の仕事も選べません。自分たちだって、家の仕事が売春宿だったら自然と手伝わされていたかもしれないし、そうであった時に彼女のようにならないとは誰もいえないだろうと思います。まあ、実際には彼女のような強靭な精神の持ち主はあまりいないわけで、あそこまで行く前に他の誰かの餌になってしまうのだろうけれど。

そう考えていくと、彼女のバイタリティーとエネルギーはやはり並み外れたものがあり、戦後の混乱期から生まれた怪物的な存在であったのは間違いなく、あのタイプの人は自分が生きている間には見かけることはもうないのだろうなと思います。

NHK党の立花孝志氏やガーシーこと東谷氏の姿に彼女と通じるバイタリティを感じなくはないですが、彼女は表面的には正義の仮面・常識の仮面を被って公の場に出ており、あそこまで開きなおった存在ではありませんでした。そこはなんというか良識めいたものが力を持っているというか、建前が重要視されていた時代だったということでしょうね。そして、現在ではネットが増幅装置の役割を果たしていて、誰がということではなく、一定の言説自体が求心力を持ち、特に表に出てこない人たちがそれを利用して人々を搾取する方向に向かっているのではないか、それは新しい形の怪物なのではないかとも感じています。

誰が本当に悪いのか？「ＡＫＢラーメン」騒動

バイトＡＫＢ、名古屋での地下アイドル活動を経た後、独学でラーメンづくりを修得したという触れ込みで「麺匠 八雲」「沙羅善」といったラーメン店を数店舗を経営していた梅澤愛優香氏。

その氏が経営するラーメン店に関して、地下アイドル時代の運営で、社員としても名を連ねるＦ氏が実質的経営者なのではないかという疑惑、またＦ氏が地下アイドル運営時代に犯した賃金未払い問題やメンバーに対する暴行疑惑、食品産地偽装、内装業者に対する長期に渡る未払い、Ｆ氏による従業員に対する賃金未払い問題やＦ氏のパワハラ疑惑が文春のｗｅｂ記事や『久田将義と吉田豪の噂のワイドショー』での元店員でミス・ｉＤ「だいじょうぶ、日々を生きる以外の才能は全部ある賞」受賞者である七詞睡眠氏へのインタビューによって報じられました。

これまでネット上で殺人予告をされたり、ラーメンオタク・ラーメン評論家による誹謗中傷やセクハラを告発してきた梅澤氏。こういった報道の直前には、告発を受けたラーメン評論家・はんつ遠藤氏による反論・釈明文が、あまりにも場にそぐわない独自のユーモアを打ち出していたり、セクハラが焦点の一つであるのにジェンダー問題に対する意識の低さをさらけ出した内容によって世間の反感をかったことで、梅澤氏を支持する声が高まっていました。

ある意味、完全勝利な状況だったわけですが、突然状況は一転し、梅澤氏側が様々な問題に対する告発にさらされたわけです。

独学でラーメンづくりを修得した元・アイドルの若い女性店主を前面に打ち出したメディア戦略で人気店となっていた氏が経営するラーメン店ですが、ラーメン専門メディアやラオタとよばれるようなコアなラーメンマニア、同業者からの評判はけして芳しいものではありませんでした。「独学」という触れ込みに対して、本当にそうなのかという疑問。彼女のラーメンがF氏が以前に関与していたラーメン屋のものに似ているということは匿名掲示板やTwitterなどで囁かれていました。F氏が実質的な経営者であり、うろんな人物であるであるとみられていて、その点が警戒されていたのもあるでしょう。

ただ、ラオタの一部に見られる若い女性店員に対する変な執着からくる粘着、若い女性に対するミソジニー丸出しの上からの反感があったのもまた事実です。店の方向性や本人の媒体の出方などのメディア戦略的な部分が、既存のラーメン業界やラオタではないところに向けたものであることも、反感をかった一要因だと思います。なんというか、おじさんオタクがZOCを自分のアイドル観にそぐわないという理由でＴｗｉｔｔｅｒで執拗に叩くみたいな話です。

奇妙な部分に対する疑問を抱くというようなことをはるかに超えた、梅澤氏に対する悪意が見受けられるラオタの動きというのは、こういったものが根底にはあると思います。そういった部分を露骨に出している人が度を超えた誹謗中傷をおこなうことによって、若い女性VSミソジニストという図式の中に落とし込まれてしまい、梅澤氏サイドの主張が全面的に正しいとされてしまうという構図になってしまったわけです。

流れを詳細に追っているわけでもなく、実際にラーメンを食べにいったこともないフェミニズム支持の女性が梅澤氏を全面的に擁護するような発言をする光景も見られ、情報に対するリテラシーの大切さを感じさせられました。

それはさておき、「麺匠　八雲」に関する疑惑はかねてからあったわけで、ラーメンメディアからは警戒されていた状況でした。そういえば、梅澤氏がラーメン評論家やラーメンメディアに黙殺状態であることに対する疑問の声があがった直後に、ラーメン評論家やラオタに対する出禁宣言や告発がはじまったのですが、仮に自分たちがラーメン業界から無視されている原因が追及されないように争点を別に提示して世間の目をそらそうということで起こしたアクションであったとするならば、注目をあびた結果としてこういう取材や告発が出てきてしまったわけで、とんだ藪蛇だったということになりますね。

Ｆ氏が反社会的勢力の一員であるかのようなことを店の取引先に吹き込んだラオタや、内装業者に対する未払い疑惑を具体的な証拠も提示できないような状態でＦａｃｅｂｏｏｋで揶揄した、はんつ遠藤氏のように提訴されてしまった人もいます。

Ｆ氏に前科があり、彼が過去におこなってきた飲食事業に関する疑惑もあるわけですが、彼が反社会的勢力の構成員であるという証拠も未だにないわけで、これは訴えられても仕方ありません。はんつ氏に関しては、その時点で証拠も出せないようなことをフォロワー限定とはいえ３００人以上閲覧できるＳＮＳ上で言うのはリスク面を考えるとうかつだったと思います。名誉毀損は内容が事実でも成立するケースがあるわけですし。また、はんつ氏の弁明ｂｌｏｇは本当に書き方がひどすぎて自殺行為でした。ラーメン業界の体質の問題に目が向くよりも、はんつ遠藤さんの独特な文体に注目が集まってしまったというのは非常に困ったことだったと思います。

はんつ氏は文章自体はうまいと思うんですよ。あれだけの長文を読ませることができ、言いたいことの内容はよく理解できますから。ある意味キャッチーですよね。

ただ、当事者として真面目な話をしなければならないとき、自分のこの先に大きな影響を与えることがわかっている局面で、あの文体を普通選びますか？　ユーモアに独自性があって共感しがたいとかいう話以前に、真面目な弁明や反論の場でユーモアを押し出さないでしょう、普通。

その上で、女性に対する意識の古さが全面に漂い、セクハラというもの自体がなんなのか理解してないことが伝わってきますし、「よくわからないことは双方の話を聞いてみないと判断できない」と思ってる人でも、あのｂｌｏｇを読んだら事実関係が確認できなくても「絶対こっちが悪い」と思わせるような力を持つ文章です。真面目な問題、しかも自分が加害者側にある問題に対して、あんな反応をしてしまうのはダメですよ……。後に告発された事実に繋がる発言などもあったのに、本当にもったいないことです。

以前にＷｅｂでの連載で梅澤氏の告発について扱ったのですが、Ｆ氏に関する疑惑は知っている状態とはいえ噂レベルで証拠はないので具体的には触れることはできないし、それを書けないまでも梅澤氏サイドを過度に正しいとしないように書くことに苦労しました。たとえば、地下アイドル時代が経歴から抹消されていたり、当時のオタク（Ｆ氏の顔も事件のことも当然知っている）を切り捨てていたりするなど、うさんくさいことではあっても、そのこと自体が別に具体的になんらかの法に抵触しているわけでもありません。当事者でない以上、そこに突っ込むのは難しいことです。七詞氏がＴｗｉｔｔｅｒで発言していましたが、本当にまずければ行政が動くであろうし、具体的な証拠もなしに過度に騒いで私刑をはたらこうというのは愚かしいことです。

当事者からの告発が具体的になされていない時点で当事者でない人間ができるのは注意深く観察し、変に関わらないということしかありません。実際、変に関わることで梅澤氏サイドの主張が一方的に支持されるような事態を一時的に招いたのは間違いないのですから。

梅澤氏が矢面に立たされる形になっているわけですが、実際に絵を書いていたのがF氏であり梅澤氏は傀儡状態であったという疑いが七詞氏の告発から生まれています（本人は辞めたがっていたという話もあった）。北九州一家監禁殺人事件の加害者である松永太と緒方純子を思い起こさせる、加害者側とされる一人がもう一人に支配され操られているような関係性であるという疑いです。

梅澤氏のＴｗｉｔｔｅｒアカウントでは、特定の人物を叩くように煽ってはツイートを消すというような行為がよく起こっていましたが、それをおこなっていたのはF氏である可能性もあり、梅澤氏の問題とされる行動は本当に本人の自発的なものだったのだろうかという疑問があります。

そういえば、一部のラーメン店でπウォーターという謎の水（効能の科学的根拠がまるでわからない）が流行っていたり、スピリチュアルなものとラーメンの世界は意外と関わっているものなんですよね。梅澤氏も麺に音楽を聞かせて熟成させるとＴｗｉｔｔｅｒに書いていたりするわけですが、あれは実際はＦ氏によるものだったのでしょうか？

文春の告発記事から半年以上過ぎましたが、特に目立った展開はありません。

ひろゆきの功罪

2ちゃんねるの創始者として知られ、ネットのご意見番的にＹｏｕＴｕｂｅで人気を得て現在では地上波テレビにも登場し、デジタル庁への助言という政府関係の仕事までオファーがある、ひろゆきこと西村博之氏。しかし、この状況ははたして良いことなのか疑問があります。

22年に入ってからアメリカで頻繁に起こっている銃乱射事件。4人以上が射撃された事件は上半期だけで３００件を超えています。

5月24日に子供を中心に21人が殺されたテキサス州の小学校で起きた18才の男性による銃乱射事

件の直後、アリゾナ州の共和党に属するトランプ支持者であるポール・ゴサー下院議員が、容疑者が左翼で不法移民のトランスジェンダーであるという事実無根の発言をしたわけですが、多方向に向けた偏見と差別に満ちたこの発言からはアメリカのネット社会に充満するヘイトまみれのフェイク情報による影響を感じます。

日本の2ちゃんねる（現・5ちゃんねる）やふたば☆ちゃんねるといった匿名掲示板文化に大きな影響を受けたアメリカ発の匿名掲示板である4chan及び8kun発のQアノンを産んだ言説はトランプ退陣後もまだまだ影響が強いようです。

5月14日にニューヨーク州バッファローのスーパーで起きた銃乱射事件は「グレート・リプレイスメント」と呼ばれる、白人文明は「置換主義者」なる者の策謀で非白人系移民によって置き換えられようとしているという陰謀論を4chanで真に受けた容疑者が、黒人をターゲットに実行した犯行で、直接的に4chanの影響下で起こったものです。事件後、4chanでは容疑者が配信した銃撃の動画のコピーが拡散され称賛が多く書き込まれました。

犯行の動機に4chanの書き込みの影響が強く見られることで、掲示板の管理者としての責任を米マスコミから追及されることになったのが15年から管理人をつとめているひろゆき氏です。

4chanは03年にふたば☆ちゃんねるの画像掲示板スクリプトを流用してクリストファー・プール氏によってつくられ、何らかの理由でジム・ワトキンス氏に2ちゃんねるの管理権限を14年の時点で奪われていたひろゆきが15年に買収し管理人になります。一方で2ちゃんねるは5ちゃんねるに改名し現在にいたります。

14年に4chanが権威主義化したと考えたフレドリック・ブレンナン氏によってつくられたのが8chanです。紆余曲折を経て、16年に2ちゃんねる管理人であったジム・ワトキンス氏と息子であるロン氏がサイトの所有者になりますが、ロン氏はQアノンの陰謀論を生んだQという匿名投稿者（当初は4chanで書き込みをしていたが、後に8chanに書き込みの場を移す）の正体ではないかと言われている人物です。8chanは19年8月にテキサス州エルパソで起きた銃乱射事件（この事件の犯人も「グレート・リプレイスメント」について言及していた）の犯行声明が掲載されたことを理由にサーバーのサービスの提供を切られることにな

ひろゆきから2ちゃんねるを奪ったジム・ワトキンス。

りました。また、複数の銃乱射事件の声明が８ｃｈａｎによっておこなわれていることで、同月ジム氏は下院から召喚を受けています。同年の11月から８ｋｕｎに名称変更して継続していくことになりました。

４ｃｈａｎにしろ８ｃｈａｎにしろオタク・コンテンツについて語り交流する目的でつくられたものが、いつのまにか差別と陰謀論の坩堝になってしまったわけです。まあ、２ちゃんにしろ、ふたば☆ちゃんねるにしろ、そこは同じですが。

一番古い歴史を持つ２ちゃんねる初期のことを考えると、差別や陰謀論に満ちた書き込みの多くは書き込んでいる人間が実際に信じていることを書いているというよりも、悪質な遊びとして別に信じてないことを書き込んでいたという面があったと思います。

タブーに触れることを面白がる遊びの小道具として差別をネタを使っており、無責任な悪フザケの要素が強かったでしょう。現実に影響を与えるとは初期の書き込み主は特に考えてなかったはずです。

それが2ちゃんねる人口が増えるにつれ、「事実」としてとらえる人間が多く生まれ、初期のネトウヨと呼ばれる層のバックボーンとなっていきます。2ちゃんねるの避難所としてつくられたふたば☆ちゃんねるの一部の板に見られる偏向は現在の5ちゃんねるよりも酷い状態です。

2ちゃんねる管理人としてのひろゆきは別にそういった部分を先導していたわけではありません。ネオ麦茶事件に関してテレビ局の取材を受けた際の彼の発言「うそはうそであると見抜ける人でないと（掲示板を使うのは）難しい」そのままの姿勢で、使用者のリテラシーの問題であると無責任に放置していたということです。

それに対して、ワトキンス親子は米国の掲示板において意図的に日本の掲示板文化の差別と陰謀論が広がっていく構造を持ち込んだふしがあります。

放置するにしろ、意図的に持ち込んだしろ、差別と陰謀論が掲示板で見過ごされている理由は利用者が増えるからというのが大きいでしょう。利用者が増えれば広告収入が上がるわけで、収入面で得をするから、ほっておいたり、わざわざ導入したりするわけです。

誹謗中傷やデマの書き込みについて管理人としての責任を多数問われ多くの賠償金を背負っているのに関わらず、法の不備をついて未払いのまま無責任に過ごしてきたという問題もひろゆき氏にはあります。

現在も2ちゃんねるの頃と変わらぬビジネスモデルで書き込みについての責任を取らないという姿勢で過ごしていますが、銃社会のアメリカでは日本とは比べ物にならないぐらいの被害が出ています。**掲示板文化によって人種差別テロやQアノン問題といった人の命に関わる社会問題が多く生まれている以上、今までのように無責任な立場ではいられず、今後は批難されるだけにとどまらないこともあるでしょう。**


また、こういった無責任な人物を肯定的にエンターテイメントの場に登場させる日本のメディアや、公的な事業のアドバイザーとして氏を使おうとする日本の社会のリテラシーは異常だと思います。恐ろしいほど無知なのか、彼の行動を問題と思ってないのかはわかりませんが、どちらにしろまともとはいえないでしょう。なぜ、ネット掲示板がデマとヘイトと陰謀論の温床になってしまったのか、もう少し真剣に考えるべきではないでしょうか。

そういったものを放置してきた、未だに放置しているひろゆき氏がネット上で陰謀論を批判して姿は何ともいえないものがあります。

第八章　小山田圭吾の炎上

小山田圭吾騒動

２０２１年7月、約30年前に『ロッキング・オン・ジャパン』『クイック・ジャパン』という2誌に掲載された、いじめ加害者としての体験（被害者とされる人に障害者を含む）を露悪的に語るインタビュー記事の内容が炎上し、東京オリンピック・パラリンピック開会式の音楽担当を辞任した小山田圭吾氏（Ｃｏｒｎｅｌｉｕｓ、exフリッパーズ・ギター）。この炎上については、多くの人が2つの記事の一部を切り取って小山田氏の印象がより悪くなるように編集された悪意あるｂｌｏｇ記事の情報に影響を受けていました。

また、毎日新聞のｗｅｂ記事に関しては原典に当たらないままにｂｌｏｇを参考に記事を作成した疑惑（毎日新聞側は否定している。なんにせよ、実際のインタビューの内容とは隔たりがある記事ではある）があり、そういった不確定な情報を元に著名人による小山田氏バッシングなども起こりました。

いじめ記事の存在自体は昔から知られており、ネット上で軽く話題になることもありましたし、筆者も19年に90年代サブカルにおける悪趣味・鬼畜系（及び、その影響）について検証する内容の新書『90年代サブカルの呪い』を出した時に触れています。しかし、今までは炎上したことなど一度もなかったのです。小山田氏に対する世間の注目度はそれぐらいのものだったということです。
小山田氏の騒動が大きなことになったのは、東京オリンピック開催反対の流れによる部分が多かったと思われます。いじめ記事をオリンピックを攻撃する材料として利用しようとする人間がでたことで、記事の存在すら知らなかった人、小山田氏に興味もなかったような人に届き、人権意識の高い真面目な人から、叩ければ何でもいいような人まで巻き込んだせいで大きな話題になったのです。

辞任後、氏が参加しているバンド・METAFIVEの音源の発売中止、氏が音楽を担当していたEテレの『デザインあ』の放送中止などがあり、媒体関係の仕事は基本的になくなり、ライブ活動も自粛状態になります。ネット上ではニュース記事に氏に対する暴言コメントが付けられ、Corneliusの公式アカウントや彼を擁護したと判断された人に対して過度の罵倒リプを送ったり、彼の家族に対する罵倒リプを送る人が続出。ちゃんとした批判や抗議の声はともかく、過度の攻撃はネットいじめにしかならず、ましてや家族に対するものなど論外です。あからさまに人を叩きたいだけの人が叩ける相手を見つけたという様子の人間もいて、そういう人は何を言われても変わらないのでしょうけど。

騒動勃発後、当時『クイック・ジャパン』の編集者（後に編集長）でインタビューの取材時に立ち会っていた北尾修一氏のｂｌｏｇで当時の状況が語られることもありましたが、小山田氏と被害者とされるＳ氏の「友情」物語に焦点をしぼり、状況を美化するかのようなものであり、北尾氏の保身のためではないかという疑いも持たれることになりました。

　辞任後、当時の記事のことについて初めて語ったインタビューが『週刊文春』２０２１年９月23日号に掲載され、くだんの小山田氏がゲストとして登場した『クイック・ジャパン』誌の連載記事「いじめ紀行」で当時ライターをつとめた村上清氏の当該記事に関する説明と反省が綴られた文章も、同誌が発売された夜に『クイック・ジャパン』の刊行元で現在村上氏が所属する太田出版のサイトに発表されました。

いじめ発言が載った雑誌。

　文春インタビューでは彼自身の心境、現在ネット上で広まっていたり、一部媒体で報道されている内容については事実と違う部分があることの説明、オリンピックに関わる部分の状況、現在の心境や反省などが語られており、**過去の記事の発言の説明部分に関しては、一部の90年代中期から後期にかけての「サブカル」について詳しいような人たちが推測してたことが本人の口から語られていました。**

小山田氏自身がやってないことがやっていたように書かれていたこと（『ロッキング・オン・ジャパン』誌）。アイドル的存在であった立場から脱却するためにアンダーグラウンド的な方面にキャラクターを変えたくて、きわどいことを語ったり、露悪的に語ったこと。そういったことが語られています。村上氏の説明文もそれを補強するものでした。

『ロッキング・オン・ジャパン』という雑誌はインタビュー記事の掲載前の本人チェックがなく、発言意図が歪んだ形で掲載されたり、本人が語ってないことが掲載されたりするということが起こっている雑誌であり、小山田氏の発言も割り引いて考える必要があると考えている人もいました。その後におこなわれた『クイック・ジャパン』の記事でのインタビュー部分との内容の食い違いも多いです。『クイック・ジャパン』のインタビューでは、明確に他人のやったこととして語られていることが、本人がやっていたかのような発言になっています。

また会話の常として、面白くするために、つい話を盛ってしまうということはありがちなことで、『クイック・ジャパン』での発言の露悪的な部分（当時の鬼畜系・悪趣味系サブカル、特に根本敬氏の影響が見られる）に関しては、キャラ作りのためや、その場にいる人に対するサービス精神から盛っている部分もあるでしょう。そういった推測を裏付けるかのような説明を本人の口からしているのが文春のインタビューでした。

文春発売後、9月17日にＣｏｒｎｅｌｉｕｓのサイトに掲載された謝罪文は、文春での発言の延長線上にある、自分の行為（いじめ。インタビューでの発言での二次加害や人権意識）の何が問題であったかに対する自覚がしっかりとなされた、自分の弱さなどにちゃんと向かい合った文章だったと思います。

また、12月31日には配信メディア・ＤＯＭＭＵＮＥで辞任以来活動を自粛していた小山田氏への応援のための大型特集番組が配信され、雑誌記事や報道に対する検証、障害者問題やいじめ問題に関する議論、小山田氏が障害者支援活動をしているという報告、小山田氏を応援するミュージシャンによるＤＪなどがおこなわれました。ただ、検証といっても、小山田氏に対して批判的な言動をしていた人たちの出演がダースレイダー氏以外なく（荻上チキ氏、モーリー・ロバートソン氏は出演依頼したが快諾は得られず)、一方的に小山田氏の側にたったものではないかという批判もあります。

2022年のフジロック復帰でも……

「オリンピック」というお題目がなくなった時点で、小山田氏の文春記事の内容を気にしているのは、小山田氏やフリッパーズ・ギターが好きな人、音楽ファン、サブカルが好きな人、障害者問題やいじめ問題に関心が高い人ぐらいになったと思います。辞任騒動の時に騒いでいた人の多くは興味がないでしょうし、その人たちにとっては小山田氏のイメージは最悪ないじめ加害者のままになってしまうかもしれません。実際に22年のフジロック・フェスティバルでＣｏｒｎｅｌｉｕｓとしてのライブ活動が再開したのですが、その後の情報も知らないまま、初期の報道に基づいて彼を叩くコメントがネット上に見られました。今後も状況はなかなか変わらないだろうし、どんなに反省していようが、反省が伝わってくるような仕事をしようが、世間全般のイメージが覆るのは難しいでしょう。

2年前に書いた新書の小山田氏に触れた部分が他所の記事に引用されたり、その部分が含まれる一章がまるまる文春ｗｅｂに転載されることで、多くの人の目に新しく触れることになりましたが、小山田氏を叩きたい人も擁護したい人も、自分に都合のいい言葉を求めてるだけで文章全体の趣旨に無関心の人も多く、期待した言葉がないと感じた場合、ピントはずれな批判をしてくることが多かったです。叩く材料として利用できたら何でもいいし、好意的に解釈するために利用できればなんでもいいのでしょう。そういうことから考えてみるに、小山田氏が今後に何を発信しようが、悪く思いたい人は何が何でも悪く解釈するだろうし、良く思いたい人は何でも好意的に解釈します。結局、どっちの言うことも信用ができないということです。

アクロバティックな強引擁護論

ここからが、本章の本題になります。小山田氏は約1年間に渡り、活動を自粛していたわけですが、氏の活動再開を願っての名誉回復運動をしている人たちの一部に過剰な行動をする人たちが現れたのです。

当初は小山田氏を罵倒しているツイートに対して、訴えられる可能性があると警告するリプを集団で送りつけるような形から始まりました。初期報道に基づいて彼を批判した著名人・文筆業者に対しても、執拗にこれをおこない、その執拗さに彼らを訴えると宣言した人までいました。徐々に数は減っていったものの、12月になっても7月の報道時にされたツイートを掘り返しては、このような行為を行っていたのです。嫌がらせ行為に非常に近い、問題行動です。

特に小山田氏を罵倒しているわけでもない、単に意見が違う程度の人に対しても、このような行為をしており、その際に相手の音楽の趣味をバカにしたりするような人もいたわけで、当然反感をおぼえる人も現れます。小山田氏の言動に疑問を呈しただけで別に罵倒もしてない人に対して、自分が過去にいじめられたことへの復讐の代償行為として小山田氏を攻撃していると決めつけるというようなこともしています。

彼らは手法が批判されると「声をあげるのを止めるのか」と反論するわけですけど、批判されているのはやり方であって、小山田氏が受けた報道被害に声をあげることに反対している人はあまりいないと思うのですが。

また、彼らが小山田氏を擁護する論調も非常に恣意的です。小山田氏自身が認め、反省している部分に関しても、それを無視して免罪をはかるかのような発言をします。

小山田氏が認めているいじめ行為は次の2つです。小学生時代に障害のあるSくんを集団で段ボール箱に閉じ込め、黒板消しについた白墨の粉を上からかけた。中学生の時にMくんをロッカーに閉じ込めドアを下にして転がしロッカーを集団で蹴った。この2つです。

Mくんは修学旅行先でプロレスごっこで一方的に技をかけられたり(『クイック・ジャパン』では「みんなで」とあるが、小山田氏が技をかけた「みんな」の中に入っているかは明白ではない)、留年してきた先輩に縛られたり、人前で好きな女の子の名前を言わされながら自慰をすることが強要されたことが小山田氏のインタビューで語られています。母親が自殺を考えていた(これは主語がなく、Mくんなのか、彼の母なのか、2人でなのかがわからない。『クイック・ジャパン』の記事は全般的にこういった不備が多い)と語るようなひどいいじめにあっていた人物です。

「小山田氏の行為はいじめとは当時みなされていなかった」といった、どう考えても事実ではないことを主張したり、それを肯定的にRTするものがいます。小山田氏と同年代の人に聞いたらわかりますが、当時でも小山田氏が小学生時代にやったことが教師に発覚すれば、叱られた上に親が呼び出されるようなことです。無理があるし、いじめの矮小化でしかありません。いじめの定義は文科省、教育委員会、警視庁でも時代とともに変遷してきたと理由づけたところで、単なる言葉遊びにすぎません。

「いじめ」という言葉が辞書にのったのは氏がいじめをしていたとされている時代以降だから、当時はいじめは重要視されてなかったと主張しようが、辞書に新しい言葉が載るのは実際に普及してから後のことであり、それ以前から「いじめ」という言葉は日常で使われていたし、そういう問題はあったわけです。

小山田氏と同年代～少し上の人も、年少期からいじめはあって苦しんでいる子はいたと証言しますし、70年代の創作物、たとえば藤子不二雄Aの『魔太郎がくる』のような作品ではいじめが大きく扱われています。

いじめに遭ったのはSくんとMくん

Sくんとは中学時は別学級で高校時に再会したときには友情をおぼえたという話ですが、それは小山田氏的には事実なのでしょう。ただ、小山田氏の発言からはそれが対等な友情とよぶことができるかははっきりわかりません。

一方が相手を見下げた形で愛着を持つ関係性は普通に見られるものであり、小山田氏と彼の関係性が客観的にどうだったのかは元記事でも文春記事でもわからないのです。それを一般的な意味で友情があったと言い切るのは無理でしょう。いつも鼻をかんでいるので名前を書いた箱のティッシュペーパーに紐をつけて首からぶらさげてあげたというエピソードも、面白がっている部分があるようにもとれます。

また、彼ら過剰な擁護派は基本的にMくんの存在を軽視します。報道では障害者に対するいじめが強調されていたので、Sくんの話に対して気が向くのはわかりますが（小山田氏自身も謝罪文で詳細に取り上げたのは彼だけでした）、Mくんの被害を蔑ろにしすぎです。また、当時のW学園の教育制度（各学級に2名までの身体・知的障害者枠）や小山田氏による描写からすると、Mくんには何らかの軽度の障害があった可能性があります（そのことは、過度の擁護活動をしていた人たちと交流がある批評家の片岡大右氏もＴｗｉｔｔｅｒで指摘しています）。障害者に対するいじめは小学生の時だけと断定もできないのです。そもそも、障害者であろうがなかろうが、いじめが問題なので、Ｍくんの問題を軽視すること自体がおかしいのです。

『クイック・ジャパン』では、Mくんは「やっぱ頭が病気でおかしいんだか、ただバカなんだか、というのが凄くわかりにくい」（62P）と語られており、Sくんに関して「バカの世界って、どんな感じなね？」（69P）と言っていることから判断するなら、小山田氏がMくんに何らかの障害があることを想定していたことがうかがえます。少なくともインタビュー時の小山田氏は。

前述のようなひどいいじめを受けていたMくんは高校進学時に定時制高校に転校。理由はいじめなのか、経済的なものか、学力的なものなのかはわかりません。中学の同窓会に現れた彼に対して「みんなで『インタビューしよう』ってなって（笑）」（66P）と小山田氏は語っています。これは、私には悪質な「いじり」のように見えます。「インタビュー」といって集団で何かを聞き出して笑い者にするのは、バカにしている相手をいじるための常套手段ですから。「いじめ」だと思う人もいるでしょう。

インタビュー時のMくんの近況を聞いた小山田氏の「『いい顔のオヤジ』みたいなのに絶対なるタイプ」「『パチンコ屋でバイトやってんの？』なんて（笑）。『玉拾ってんの？』とか（笑）」（68P）という発言は、やはり小馬鹿にしたトーンが感じられるものですし、「Mとは別に、あんま会いたいとは思わないけど。会ったら会ったでおもしろいかなと思う」（68P）という発言からも何の配慮も彼にないように感じられます。

取り方によって、軽い障害のあるMくんに対して中学卒業後も悪質にいじり続けていたようにも取れますし、インタビュー時でも侮辱的にもとれる表現が多く見えます。学校や学年が特定されていて同じ学校の人なら誰かわかるような状況で、彼の味わった屈辱的な経験を雑誌を通して世間に公表していること自体がひどいのです。

Sくんに対しては友情を感じていたのでしょうが、Mくんに対してはずっとバカにしているように見える人がいても、不思議ではありません。彼には何の救いの描写もないのですから。

『ロッキング・オン・ジャパン』が強制食糞を捏造？

彼らは『ロッキング・オン・ジャパン』でインタビューを担当した山崎洋一郎氏がインタビュー内容を捏造したと糾弾します。たしかに、彼にはインタビュアー、雑誌編集者として、あのような記事を出した責任はあるし、職業人としてのモラルとして、本来なら本件についてちゃんと説明をすべきでしょう。しかし、捏造したとまで言うのは疑問です。日常会話でもそうですが、話し手がちゃんと説明できてなかったり、聞き手がちゃんと内容を把握できてなかったりということはインタビューではありがちなことです。理解できてなくても、会話は意外に成立するものですから。だから、ゲラチェックが必要なんですよね。

小山田氏がその場のノリで雑にしゃべったのを、雑に理解してまとめた可能性も高いのです。小山田氏がそう言ったと山崎氏が解釈して記事にしたものが、小山田氏が語りたかった内容と違ったとしても、山崎氏が故意に捏造したとは言い切れないでしょう。取材テープが現存しない以上、事実を確かめることもできません。

「名乗りでないから被害者はいない」というロジックを彼らは使いますが、これは小山田氏に人糞を食べることを強要された被害者（小山田氏は過去にも、何でも食べれると言っていた子が自分から犬の糞を口にした話であり、強要の事実はないと説明している。経験上、こういう自己顕示欲の発露をする人はいるので事実だろうと筆者は思っている）はいないという主張だとは思います。

しかし、ただ「被害者はいない」と言うだけでは誰も被害にあっていないという主張だと誤解されかねないし、名乗りでないから被害者はいないというロジックも成立しません。オリンピックに関わるような大事にかかわり合いになりたくないと思う人はいてもおかしくないし、食糞を強要された屈辱的な経験を告白したくない人がいてもおかしくはないわけです。

氏の擁護のために過去に障害者から受けた被害を告白していた人たちもいます。障害者全てが善良なわけでないという主張だと思うのですが「だからなんなんだ？」としか言えないですよね。小山田氏の印象がそれでよくなるわけでもなく。

ファクトチェックとは……

21年の年末くらいから直接突撃するような活動は息を潜めて、このような行為に手を染めていた人たちが作成に関わったファクトチェックと称するサイトが立ち上がってきました。22年7月現在の内容について触れていきます。

これをファクトチェックと言うのは無理でしょうね。文春の小山田氏のインタビュー記事は紹介されていますが、文春の別の号に掲載された、小山田氏がいじめをしていたという証言のある記事の紹介はしていない。『月刊カドカワ』91年9月号の記事のSくんとの友情を語った部分は紹介しても、同じ記事での小学生の時に同級生に嫌がらせをしていたことについての告白は紹介していない。

いじめ行為が集団で一人に対しておこなわれていたことにも触れていない。それぞれ、いじめをしていた回数についてはわからないのに1回であるように記述されています。Mくんについてはかなりひどいいじめを相当期間受けていたことは母親の証言から推測できるのですが、自慰を強要したのは小山田氏ではないということ以外、それらのいじめにどれだけ関与したのかはわかりません。

小山田氏が21年7月の段階で被害者に謝罪をおこなったことが紹介されていますが、ソースになる『女性自身』の事務所社長のインタビュー記事（21年7月27日にWebに公開）では、「詳しいことは申し上げることができません」とあり、誰（両方になのか、どちらか一人なのか）に謝罪したのかも、謝罪が受け入れられたのかもわからないですし、関わらないでほしいと拒絶された可能性も考えられます。
また、『クイック・ジャパン』のインタビュー中の障害者に対するひどい表現、Sくんの性的行動などに対するアウティングに関しては詳細を触れていません。

このように、できるだけ氏が良く見えるように演出がされており、ミスリードしていこうとしているように見えます。

悪意ある切り取りｂｌｏｇの編集によって小山田氏が不当にオリンピックの音楽担当を下ろされ、活動を潰されたという考えが彼らの中にあると思います。しかし、原典が出回ったところでオリンピックの辞任という結果は変わらなかったのではないでしょうか。彼の食糞や自慰に関する強制が事実でなかったと周知されてもです。
悪意ある編集、記事にある事実でないことが過剰なバッシングを巻き起こしたのは事実ですが、国家的なスポーツの祭典に関わるには、彼が実際におこなった行為も、それを雑誌で語ったという行為の加害性も、障害者に対する描写もそれだけで十分問題になるでしょう。

彼らの主張は事実とはいえません。それと同時に私が考察したことも事実ではありません。どちらも単なる仮説にしかすぎないし、信用ができないものです。我々が考えるべきなのは、小山田氏が過去のいじめや発言を反省し、謝罪したということでしかありません。

これだって、本心かどうか疑う人だっているでしょう。確認できないような過去の出来事に対して他人が仮説を立てて解釈していくことは意味がなく、今後の彼の活動で本人が反省や贖罪を示していくことにしか意味がないのです。

活動初期に発表した小山田氏いじめ問題に関する悪意ある情報がネット上で拡散されていった時系列のまとめを例外とすれば、Ｔｗｉｔｔｅｒ上での活動にしろ、ファクトチェックにしろ、局地的な影響力しかなく、彼らは自分たちが小山田氏の活動再開に貢献したように思っているかもしれませんが、別にそこまでの影響力はなかったでしょう。小山田氏の問題に関して、間違った認識を彼らの影響で受けてしまった人も極少数ですしね。

1年がたっても、小山田氏自身が認め、反省し謝罪していることに対しても「あれはたいしたことではない」「本人もそう言わなければ仕方がないから言っているだけ」といった内容をツイートする人がいて、それを咎めたりしない人がいます。それは私からしたら、小山田氏自体に対する冒涜ではと思います。

小山田氏自身の謝罪や反省を無視しての過剰な免罪化を見ていると、小山田氏本人のことを思ってのことではなく、自分たちの好きなものは傷があってはならないという思いで活動しているように思えますし、どのような批判があろうが答えがそう決まっている以上は受けつけないでしょう。この本でよく見られる構図ですね。

私は小山田氏の活動再開に異議はないし、反省も謝罪も信じていますし、今後も生き方で納得させられるように頑張ってほしいと思っています。しかし、彼らの擁護活動の問題について書くことで、氏の過去記事に対する批判的な検証をせざるを得なくなってしまい、複雑な気分です。

あとがき

本書の当初の企画では、過去の奇妙な陰謀論、オカルト業界での奇妙な話、事実であるかのように流通していた真偽不明な芸能ゴシップなどについて多く取り上げる予定だったのですが、反ワクチン団体の迷走、あからさまな陰謀論を支持している政党が参議院選挙で勢いを伸ばす状況、安倍晋三元首相の殺害事件といった現実の流れに巻き込まれていくうちに予定とはかなり違うところに辿りついてしまいました。海へ行くつもりじゃなかった。そんな感じです。もっと呑気に暮らしたいのに。

安倍元首相の事件以降に飛び交うデマや、リアルタイムで陰謀論が形成されていきかねない状況には非常に疲労感をおぼえています。自分に都合のよい結論に達するために、事実を切り取って強引に仮説を立てていくタイプは、思想の方向性とは関係なく、どこにでもいるのを実感します。はなから奇妙すぎる主張。破綻したロジック。結論を変えないために次から次へと強引に根拠を見つけてくる姿勢。そういったものを見つめすぎて精魂尽きた気分になっています。おなかいっぱいです。「反アベ団体」という東スポの飛ばし記事を大真面目に取り上げているのを見て、本当に大丈夫なのかなと思ってしまいました。

この本を読んだからといって陰謀論の全てがわかるはずもなく、そういう本ではありません。あくまで「私と陰謀論」についての本です。新書1冊で何かを簡単にわかろうというのは、世界の真実を知ることができると思っている陰謀論支持者と変わらない都合の良さだと思います。

ただ、日々の生活に追われながら忙しく暮らしている中で色々と調べるのは非常にたいへんなことで、なかなかやれることじゃないですよね。真実かどうか判別がつかないことはすぐに決めたりしない、自称・専門家みたいな人ではなく、学問として取り組んできたような専門家の意見を聞くのが大事だということを伝えたいとは思っています。先人が積み重ねてきた莫大なデータを元にして考察している専門家と、自分の意見に合いそうなとこだけつまんでは切り貼りして専門家の嘘を暴いた気になっている人とは同列に扱ってはいけないんです。それは自然科学でも歴史などの人文的なものも同じであり、権威主義とかいう話ではなく、前提となる研究の量の話なんです。

各章の題材に関してもそれぞれ先人のもたらしたものに感謝をしながら作業をすすめていったわけですが、特に塚田穂高氏、雨宮純氏、鈴木エイト氏、黒猫ドラネコ氏、Ｔｗｉｔｔｅｒ上のカルトウォッチャーの諸氏のもたらしてくれた情報や見解は示唆にとんでおり、本当に感謝しています。

ロマン優光

参考文献

『ゴーマニズム宣言 SPECIAL コロナ論』1～5巻（小林よしのり／扶桑社）。『徹底検証 日本の右傾化』（編著・塚田穂高／筑摩選書）。『参政党Q＆Aブック基礎編』（編著・神谷宗幣／青林堂）。『黙殺 報じられない〝無頼系独立候補〟たちの戦い』（畠山理仁／集英社）。『完全自殺マニュアル』（鶴見済／太田出版）。『偽史冒険世界：カルト本の百年』（長山靖生／筑摩書房）。別冊宝島『「救い」の正体。―ポスト・オウムの新・新宗教＆カルト全書』＆『いまどきの神サマ』（JICC出版局・宝島）。黒猫ドラネコのニュースレター【トンデモ観察記】。やや日刊カルト新聞（http://dailycult.blogspot.com）。雨宮純 note（https://note.com/caffelover）。鈴木エイト氏の諸記事。『キース・リチャーズが語る「死」との向き合い方、ストーンズ新作の行方、クラプトン騒動』（Rolling Stone Japan https://rollingstonejapan.com/articles/detail/37397）。『反ワクチンに人種差別、エリック・クラプトンの思想とどう向き合うべきか?』（Rolling Stone Japan https://rollingstonejapan.com/articles/detail/36706）。『エリック・クラプトン自叙伝』（著・エリック・クラプトン、翻訳・中江昌彦／イースト・プレス）。『有名人の「自殺報道」でやってはいけないこと、やるべきこと。専門家がメディアに要請』（BuzzFeed https://www.buzzfeed.com/jp/harunayamazaki/suicide-media-2022）。『三浦春馬の死の真相 「デモ」参加者に直撃 「本当の死因はどこにあるのか。マスコミは報じてくれない」』（TABLO https://tablo.jp/archives/44057）。塚田穂高氏の『統一教会・カルト問題・宗教団体の政治活動・「宗教2世」問題関係の取材対応・記事掲載、まとめ』（https://togetter.com/li/1924986）掲載諸記事。厚生労働省e-ヘルスネット。『新潟県における自殺と遺書の法医学的検討』（伊沢寛志／新潟医学会雑誌116巻12号 https://niigata-u.repo.nii.ac.jp/record/13953/files/KJ00000142018.pdf）。『ロッキング・オン・ジャパン』94年1月号（ロッキング・オン社）。『クイック・ジャパン Vol.3』（太田出版）。『月刊カドカワ』91年9月号（角川書店）。コーネリアスオフィシャルHP（http://www.cornelius-sound.com）。『検証ルポ「小山田圭吾事件」』（中原一歩、https://bunshun.jp/denshiban/series）。『小山田圭吾 懺悔告白「僕はなぜ〝障がい者イジメ〟を得意げに語ったのか」』（『週刊文春』21年9月23日号）。

※本書を執筆するにあたり多数読み込むことになった、三浦春馬氏の死の真相について検証する諸blog、新型コロナ・ワクチンの真相について検証する諸blog、その他陰謀論者自身による発信がなされているものについては危険性が高いために特に明記しない。

[著者紹介]
ロマン優光（ろまん・ゆうこう）

1972年高知県生まれ。早稲田大学第一文学部中退。ソロパンクユニット「プンクボイ」で音楽デビューしたのち、友人であった掟ポルシェとともに、ニューウェイヴバンド「ロマンポルシェ（のちにロマンポルシェ。）」を結成。ディレイ担当。プンクボイでは『BREATHING OK』『蠅の王、ソドムの市、その他の全て』、ロマンポルシェでは『人生の兄貴分』『お家が火事だよロマンポルシェ。』といった作品を残す。WEBサイトのブッチNEWSでコラム連載を隔週金曜更新中。著書に『音楽家残酷物語』（ひよこ書房刊）、『間違ったサブカルで「マウンティング」してくるすべてのクズどもに』『90年代サブカルの呪い』（ともにコアマガジン刊）など。

コア新書　030

嘘みたいな本当の話はだいたい嘘

2022年9月16日　初版第1刷発行

著　者　ロマン優光

発行者　太田 章

編　集　坂本享陽

発行所　株式会社コアマガジン
東京都豊島区高田3-7-11　〒171-8553
電話　03-5952-7832（編集部）　03-5950-5100（営業部）
http://www.coremagazine.co.jp/

装　幀　井上則人デザイン事務所

印刷・製本　凸版印刷株式会社

ISBN978-4-86653-630-9　C0276